学生のための
解剖・組織・発生学

第3版

諏訪文彦 ほか 著

医歯薬出版株式会社

■執筆者一覧

諏訪　文彦　大阪歯科大学 名誉教授
上村　　守　大阪歯科大学 解剖学講座 主任教授
戸田　伊紀　大阪歯科大学 解剖学講座 専任教授

This book is originally published in Japanese under the title of :

GAKUSEI-NO TAME-NO KAIBO SOSHIKI HASSEIGAKU
(Anatomy, Histology and Embryology for Students, The 3rd Edition)

Authors:

SUWA, Fumihiko et al.

SUWA, Fumihiko
　　Honorary Professor, Osaka Dental University.

© 2015 1st ed.,
© 2023 3rd ed.

ISHIYAKU PUBLISHERS, INC.
　7-10, Honkomagome 1 chome, Bunkyo-ku, Tokyo 113-8612, Japan

第3版の序

はじめに

　本書の初版発刊から5年後の2018年に，平成29年度歯科衛生士国家試験出題基準が発表され，その変更内容を踏まえて第2版の改訂を行った．その後，2022年に令和4年版出題基準が発表されたこと，一部の執筆者が執筆を降りられることになったことを受け，第3版の改訂を行うこととした．初版から本書の制作に尽力いただいた執筆者には，心から感謝を申し上げたい．

　改訂にあたっては，本書がこれまで受け継いできた流れを受け，以下の点に留意した．
　・図表はより見やすい形とする．
　・内容の精査を行い，医療専門職種に必要な知識を整理する．
　・簡潔な読みやすい文章とする．

　本書を利用されて，お気付きなった点のご指摘やご意見をいただければ幸いです．

2023年10月

執筆者を代表して
諏訪 文彦

はじめに

　2015年3月に本書を発刊して3年になるが，このたび改訂させていただくことになった．

　医学・歯学の発展はとどまることはなく日進月歩で，その速度はさらに加速している．この発展によって，医療・歯科医療の各職種を志す学生にとっては，身につけるべき新しい知識もどんどん増え，学ぶ範囲も広くなってきている．さらに，医療系の専門学校も増えて，これらの学校は大学化の方向へと進んでいる．

　一方で，平成29年には歯科衛生士国家試験出題基準の見直しが行われたが，医療系の各種国家試験出題基準も，これから見直しが行われようとしている．

　このような背景に鑑み，今回の改訂にあたっては以下に留意した．
　・初版よりさらに利用しやすいようにする．
　・活用される方々にとって，知識の整理の一助になるようにする．
　・これから必要とされる知識を加える．
　・図表をさらに増やし，理解しやすくする．
　・初版と同様に，短い文章で簡潔な解説とする．

　この改訂にご尽力いただいた，執筆者の先生方と医歯薬出版に心より感謝いたします．
　本書を利用されて，誤字の修正や内容の追加などのご指摘，またご意見をいただければ幸いです．

　2018年2月

執筆者を代表して
諏訪 文彦

初版の序

はじめに

　本書は解剖学，組織学，発生学を記載している．解剖学は，歯学・医学を学ぶ初学者が最初に学ぶ重要な学問である．解剖学は生き物の構造とこれを組み立てている部品の形を学ぶ学問である．私たちがマクロレベルで学ぶ解剖学は，対象がヒトで，肉眼あるいは人体解剖学である．ミクロレベルで学ぶ解剖学は，顕微解剖学あるいは組織学である．さらに生命体が誕生し，その生命体が成長していく過程を学ぶのが発生学である．

　これらは，医療に携わる者にとって，とても大切な基礎となる学問である．ヒトの体について学ぶことは，自分の体を理解することでもある．医療人としてはもちろんであるが，自分の体の構造と機能に興味をもち，理解をしていただきたいと思っている．

　本書の記載にあたっては，下記のことに注意して編纂した．
- 本書は，歯科衛生士学生あるいは各種医療系専門学校の学生にも活用していただけるように編纂した．
- 医療系スタッフを目指す学生に必要な知識内容を中心に，簡明かつ平易に記述した．
- 記述は，全体として，できるだけ短い文章で解説を行った．
- 各章の基礎知識では，必ず習得してほしい内容を網羅した．
- 図や表を多用して，ビジュアルでわかりやすい構成とした．

　本書を利用されて，内容の追加，修正，削除など，ご意見をお寄せいただければ幸いです．

2015年3月

執筆者を代表して

諏訪 文彦

もくじ

はじめに ………………………………… iii

Colour Graph

口唇 ……………………………………… xiv
舌 ………………………………………… xv
耳下腺 …………………………………… xvi
顎下腺 …………………………………… xvii
舌下腺 …………………………………… xviii
口蓋扁桃 ………………………………… xix
空腸 ……………………………………… xx
甲状腺 …………………………………… xxi
脳 ………………………………………… xxii
顎・顔面部の神経支配 ………………… xxiii
顔面と口蓋の発生 ……………………… xxiv

第1部　解剖学

第1章　解剖学の基礎知識／諏訪 文彦 … 2
Ⅰ. 解剖学とは ………………… 2
Ⅱ. 人体の構成 ………………… 2
Ⅲ. 解剖学の用語 ……………… 3
Ⅳ. 体の区分 …………………… 3
Ⅴ. 体の位置と方向を示す用語 … 4

第2章　骨格系／上村　守 ……………… 5
Ⅰ. 基礎知識 …………………… 5
　1. 成人の骨数 ……………… 6
　2. 骨の外形 ………………… 8
　3. 骨の構造 ………………… 8
　4. 骨の連結 ………………… 9
Ⅱ. 頭蓋の骨 …………………… 11
　1. 脳頭蓋 …………………… 11
　2. 顔面頭蓋 ………………… 14
　3. 頭蓋の全景 ……………… 18
　4. 頭蓋の連結 ……………… 22

第3章　筋　系／戸田 伊紀 …………… 25
Ⅰ. 基礎知識 …………………… 25
　1. 一般性状 ………………… 25
　2. 分　類 …………………… 25
　3. 補助装置 ………………… 26
Ⅱ. 全身の筋 …………………… 27
　1. 体幹の筋 ………………… 27
　2. 体肢の筋 ………………… 27
Ⅲ. 頭部の筋 …………………… 27
　1. 表情筋（浅頭筋）……… 27
　2. 咀嚼筋（深頭筋）……… 29
Ⅳ. 頸部の筋 …………………… 30
　1. 浅頸筋 …………………… 30
　2. 外側頸筋 ………………… 30
　3. 前頸筋 …………………… 30
　4. 後頸筋 …………………… 32
　5. 前頸部の筋間隙 ………… 32

第4章　消化器系／上村　守 …………… 33
Ⅰ. 基礎知識 …………………… 33
　1. 中空性臓器 ……………… 33

2. 実質性臓器 ……………… 34
　Ⅱ. 消化管 ……………………… 34
　　　1. 口腔の構成 ……………… 34
　　　2. 咽　頭 ………………… 42
　　　3. 食　道 ………………… 43
　　　4. 胃 ……………………… 44
　　　5. 小　腸 ………………… 44
　　　6. 大　腸 ………………… 45
　Ⅲ. 肝臓と胆嚢 ………………… 47
　Ⅳ. 膵　臓 ……………………… 49
　Ⅴ. 腹　膜 ……………………… 49

第 5 章　呼吸器系／諏訪 文彦 … 51
　Ⅰ. 基礎知識 …………………… 51
　Ⅱ. 鼻　腔 ……………………… 51
　　　1. 鼻 ……………………… 51
　　　2. 鼻　腔 ………………… 51
　　　3. 副鼻腔 ………………… 52
　Ⅲ. 咽　頭 ……………………… 53
　Ⅳ. 喉　頭 ……………………… 53
　　　1. 喉頭壁 ………………… 53
　　　2. 喉頭腔 ………………… 53
　Ⅴ. 気管と気管支 ……………… 54
　Ⅵ. 肺 …………………………… 54
　　　1. 形　態 ………………… 54
　　　2. 構　造 ………………… 55
　　　3. 肺の血管 ……………… 55
　Ⅶ. 胸　膜 ……………………… 55
　Ⅷ. 縦　隔 ……………………… 55

第 6 章　泌尿器系／上村　守 ……… 56
　Ⅰ. 基礎知識 …………………… 56
　Ⅱ. 腎　臓 ……………………… 56
　　　1. 位置と形態 …………… 56
　　　2. 構造と機能 …………… 56
　Ⅲ. 尿　管 ……………………… 57
　Ⅳ. 膀　胱 ……………………… 57
　Ⅴ. 尿　道 ……………………… 57

第 7 章　生殖器系／上村　守 ……… 58
　Ⅰ. 基礎知識 …………………… 58
　Ⅱ. 男性の生殖器 ……………… 58
　Ⅲ. 女性の生殖器 ……………… 59

第 8 章　内分泌腺／戸田 伊紀 …… 62
　Ⅰ. 基礎知識 …………………… 62
　Ⅱ. 甲状腺 ……………………… 62
　Ⅲ. 上皮小体（副甲状腺）…… 63
　Ⅳ. 副　腎 ……………………… 63
　Ⅴ. 下垂体 ……………………… 63
　Ⅵ. 松果体 ……………………… 64
　Ⅶ. 膵臓（膵島）……………… 64
　Ⅷ. 生殖腺（精巣，卵巣）…… 64
　　　1. 精　巣 ………………… 64
　　　2. 卵　巣 ………………… 64

第 9 章　脈管系／諏訪 文彦 ……… 65
　Ⅰ. 基礎知識 …………………… 65
　Ⅱ. 基礎用語 …………………… 65
　　　1. 動　脈 ………………… 65

2. 毛細血管 ……………… 65
　　3. 静　脈 ………………… 65
　　4. 伴行静脈 ……………… 65
　　5. 皮静脈 ………………… 65
　　6.（脳）硬膜静脈洞 ……… 67
　　7. 静脈叢 ………………… 67
　　8. 門　脈 ………………… 67
　Ⅲ. 心　臓 …………………… 67
　　1. 心臓の位置 …………… 67
　　2. 心臓の外観と内観 …… 68
　Ⅳ. 血液の循環路 …………… 70
　　1. 肺循環 ………………… 70
　　2. 体循環 ………………… 70
　Ⅴ. リンパ系 ………………… 78
　　1. リンパ節 ……………… 78
　　2. リンパの流れと本幹 … 79
　　3. 全身のリンパ管とリンパ節 … 79
　Ⅵ. 脾　臓 …………………… 81
　Ⅶ. 胸　腺 …………………… 81

第10章　神経系／諏訪 文彦 …… 82
　Ⅰ. 基礎知識 ………………… 82
　　1. 形態的分類 …………… 82
　　2. 機能的分類 …………… 83
　Ⅱ. 関連用語 ………………… 83
　　1. 灰白質-皮質 …………… 83
　　2. 白質-髄質 ……………… 84
　　3. 神経核 ………………… 84
　　4. 神経節 ………………… 84

　　5. 神経叢 ………………… 84
　Ⅲ. 脳 ………………………… 84
　　1. 脳の区分 ……………… 84
　　2. 延　髄 ………………… 84
　　3. 橋 ……………………… 85
　　4. 中　脳 ………………… 85
　　5. 間　脳 ………………… 87
　　6. 小　脳 ………………… 87
　　7. 大　脳 ………………… 88
　　8. 神経路 ………………… 90
　　9. 髄　膜 ………………… 91
　　10. 脳　室 ……………… 91
　Ⅳ. 脊　髄 …………………… 92
　　1. 脊髄の横断面 ………… 92
　Ⅴ. 末梢神経系 ……………… 94
　　1. 脳神経（12対）……… 94
　　2. 脊髄神経 ……………… 99
　　3. 自律神経系 …………… 100

第11章　感覚器系／諏訪 文彦 …… 101
　Ⅰ. 基礎知識 ………………… 101
　Ⅱ. 視覚器（眼）…………… 101
　　1. 眼　球 ………………… 102
　　2. 視神経（第Ⅱ脳神経）… 103
　　3. 眼　筋 ………………… 103
　　4. 眼瞼と結膜 …………… 103
　　5. 涙　器 ………………… 104
　Ⅲ. 平衡・聴覚器（耳）…… 104
　　1. 外　耳 ………………… 105

2. 中　耳 …………… 105
　　　3. 内　耳 …………… 106
　Ⅳ. 外　皮 …………… 107
　　　1. 皮　膚 …………… 108
　　　2. 毛 …………… 109
　　　3. 爪 …………… 109
　　　4. 皮膚腺 …………… 110
　　　5. 乳　房 …………… 110

第2部　組織学　　　　諏訪 文彦

　Ⅰ. 基礎知識 …………… 112
　　　1. 細胞の大きさ ………… 112
　　　2. 細胞の形 …………… 112
　　　3. 細胞の運動 …………… 112
　　　4. 細胞の物質代謝 ……… 112
　Ⅱ. 細　胞 …………… 112
　　　1. 細胞の構造 …………… 112
　　　2. 細胞分裂 …………… 115
　　　3. 遺伝子と遺伝子発現 … 115
　Ⅲ. 四大組織 …………… 116
　　　1. 上皮組織 …………… 116
　　　2. 支持組織 …………… 120
　　　3. 筋組織 …………… 128
　　　4. 神経組織 …………… 129
　Ⅳ. 標本と観察 …………… 133
　　　1. 標本の作製 …………… 133
　　　2. 標本の観察 …………… 134
　　　3. 光学顕微鏡のしくみ … 134

第3部　発生学　　　　諏訪 文彦

　Ⅰ. 基礎知識 …………… 136
　Ⅱ. ヒト生命の誕生 …………… 136
　　　1. 生殖細胞 …………… 136
　　　2. 精子形成 …………… 136
　　　3. 卵子形成 …………… 136
　　　4. 排　卵 …………… 136
　　　5. 受　精 …………… 136
　　　6. 卵　割 …………… 138
　　　7. 着　床 …………… 138
　Ⅲ. 胚子の初期発生 …………… 139
　　　1. 原胚子期 …………… 139
　　　2. 胚子期（胎芽期）……… 139
　　　3. 胎児期 …………… 141
　Ⅳ. 顔面・口蓋・舌の発生 …… 141
　　　1. 顔面の発生 …………… 141
　　　2. 口蓋の発生 …………… 142
　　　3. 舌の発生 …………… 143
　　　4. 唾液腺の発生 ………… 143
　　　5. 顎関節の発生 ………… 143

解剖・組織・発生学
Colour Graph

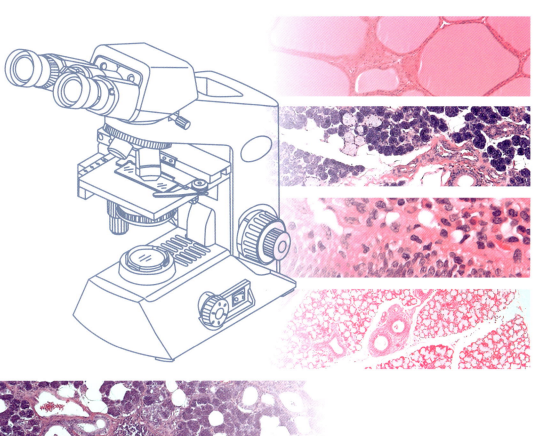
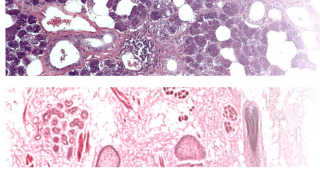

口唇 Lips

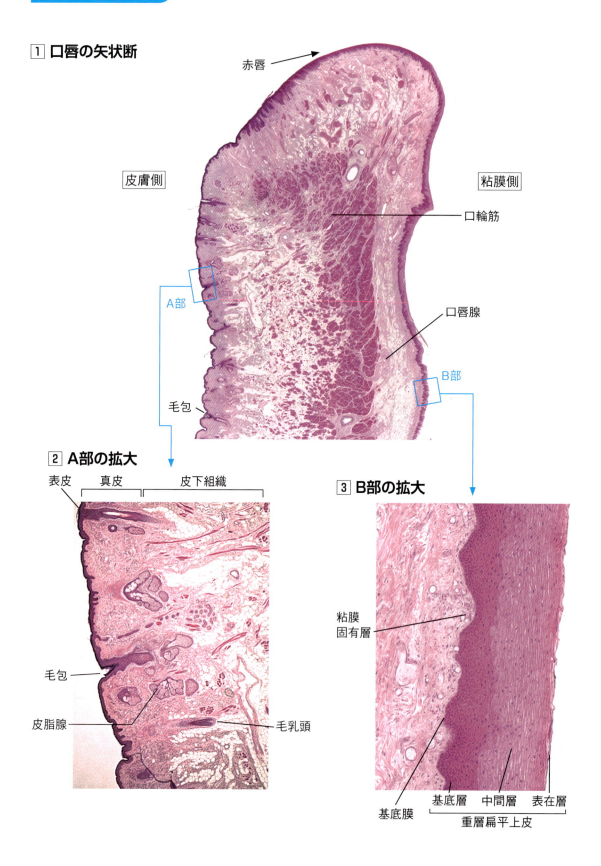

1 口唇の矢状断

2 A部の拡大

3 B部の拡大

舌 *tongue*

4 **味蕾**（強拡大）

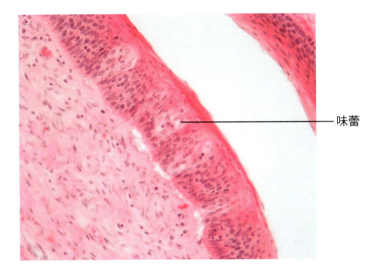

味蕾

5 **糸状乳頭の全体像**
（弱拡大）

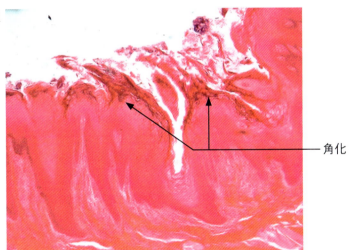

角化

6 **有郭乳頭の全体像**
（弱拡大）

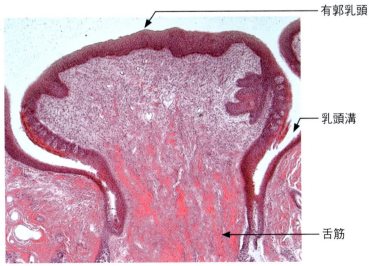

有郭乳頭

乳頭溝

舌筋

耳下腺 parotid gland

7 耳下腺（弱拡大）

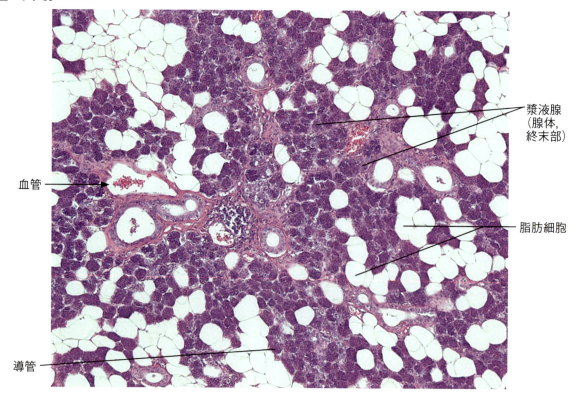

- 漿液腺（腺体，終末部）
- 血管
- 脂肪細胞
- 導管

8 耳下腺（強拡大）

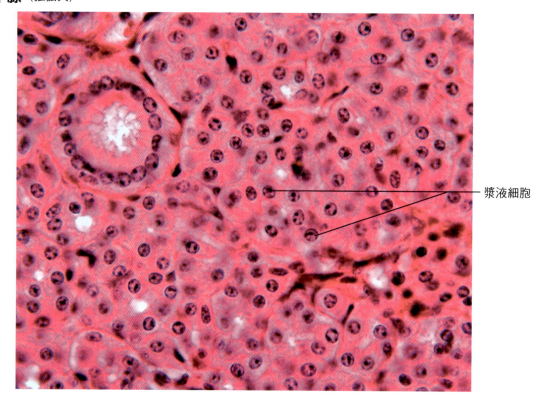

- 漿液細胞

顎下腺　*submandibular gland*

9 顎下腺

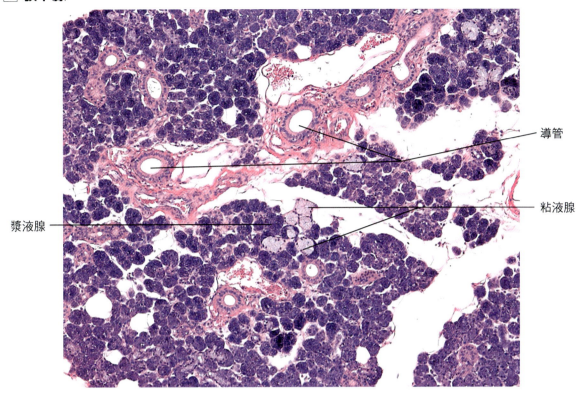

導管
粘液腺
漿液腺

光学顕微鏡のしくみ

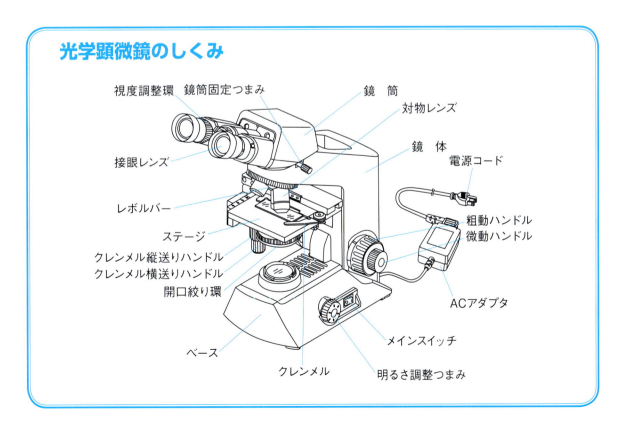

舌下腺　sublingual gland

10 舌下腺の全体像（弱拡大）

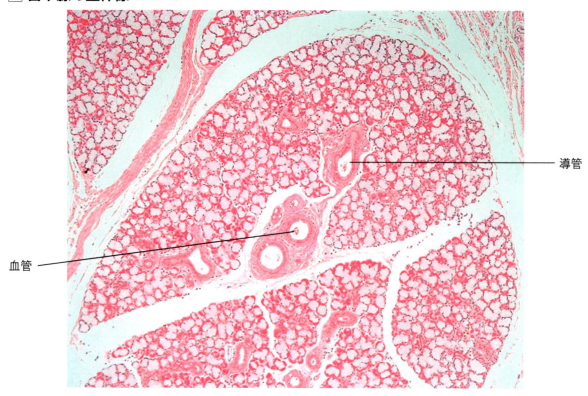

導管
血管

11 舌下腺（強拡大）

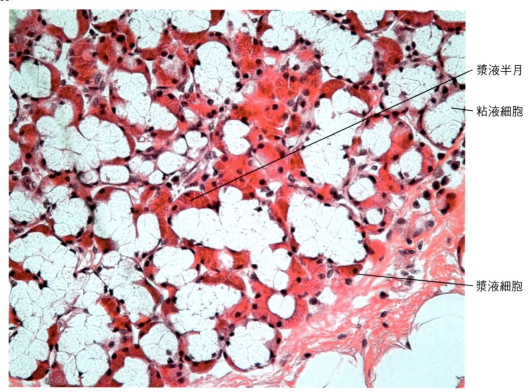

漿液半月
粘液細胞
漿液細胞

口蓋扁桃　palatine tonsil

12 口蓋扁桃（弱拡大）

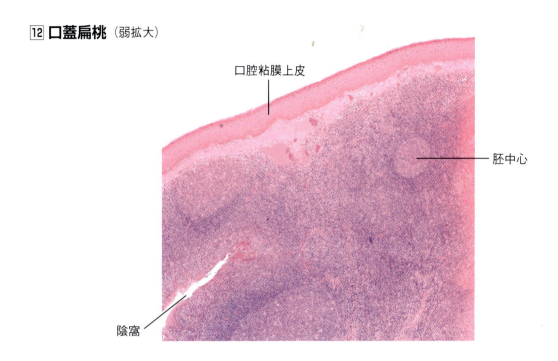

口腔粘膜上皮

胚中心

陰窩

13 リンパ小節（強拡大）

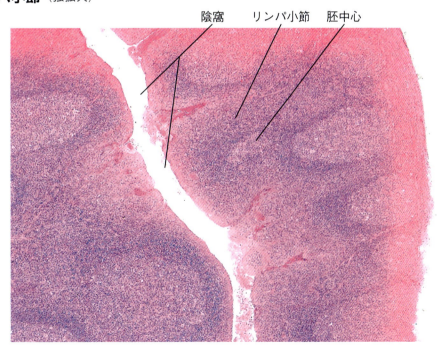

陰窩　リンパ小節　胚中心

空腸 *jejunum*

14 空腸の輪状ヒダ（弱拡大）

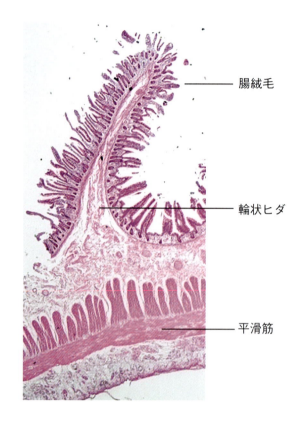

- 腸絨毛
- 輪状ヒダ
- 平滑筋

15 単層円柱上皮（強拡大）

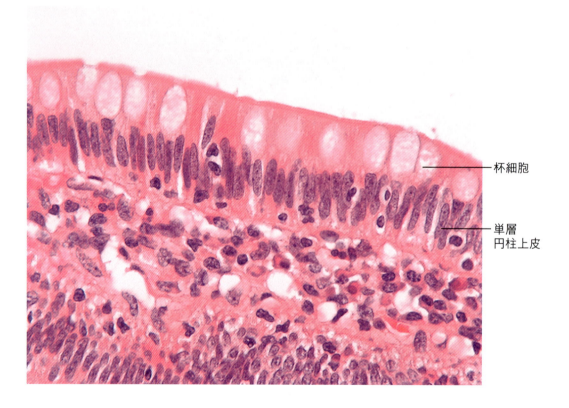

- 杯細胞
- 単層円柱上皮

甲状腺　*thyroid gland*

16 甲状腺の全体像（弱拡大）

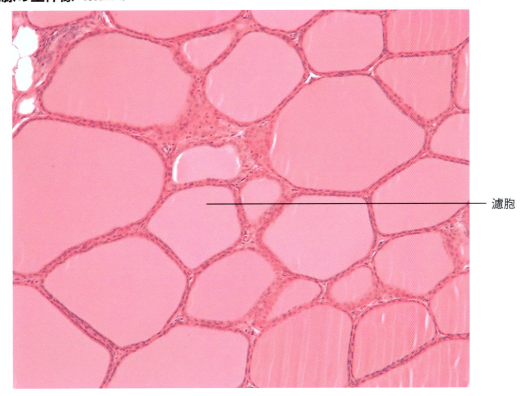

濾胞

17 単層立方上皮（強拡大）

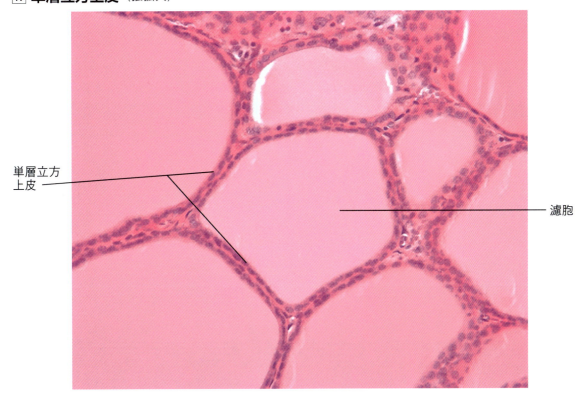

単層立方上皮

濾胞

脳 brain

18 脳へのアクリル樹脂注入血管標本

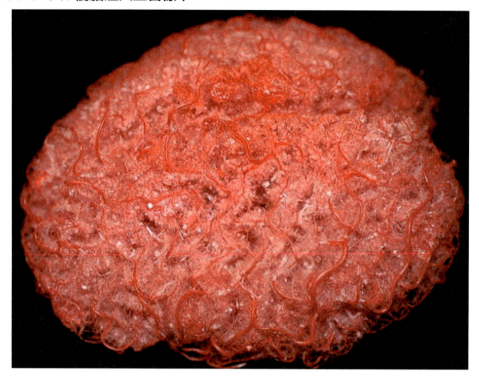

19 脳の全景

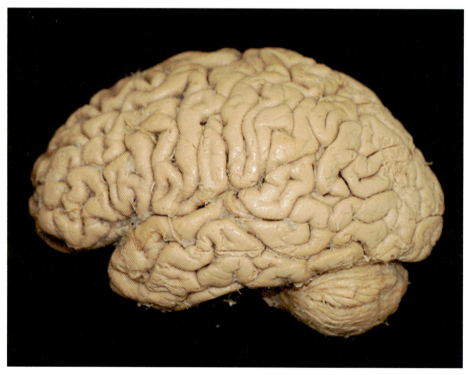

顎・顔面部の神経支配　innervation to jaw and face

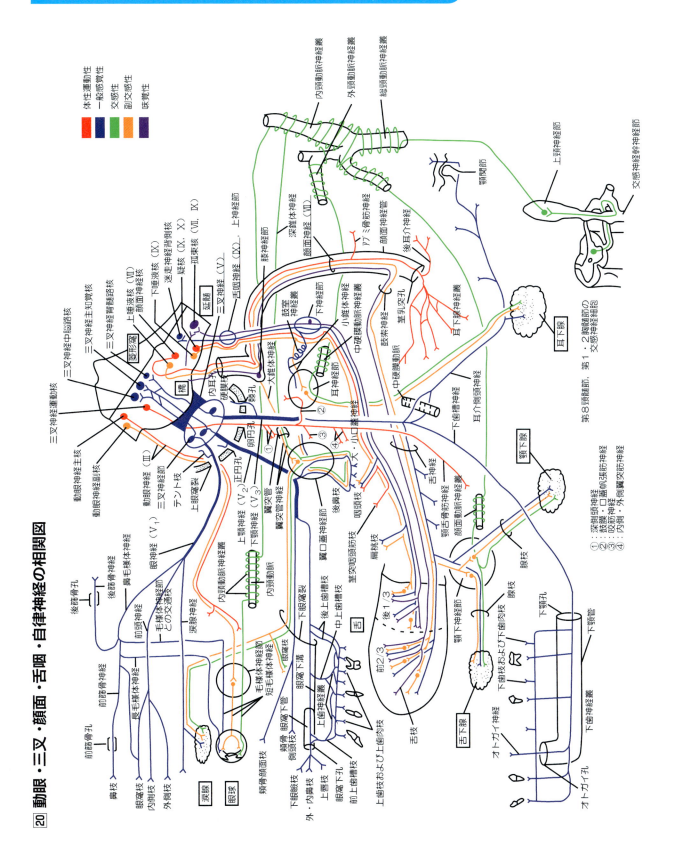

20 動眼・三叉・顔面・舌咽・自律神経の相関図

顔面と口蓋の発生 *development of face and palate*

21 顔面（上段）と 口蓋（下段）の形成過程

■顔　面

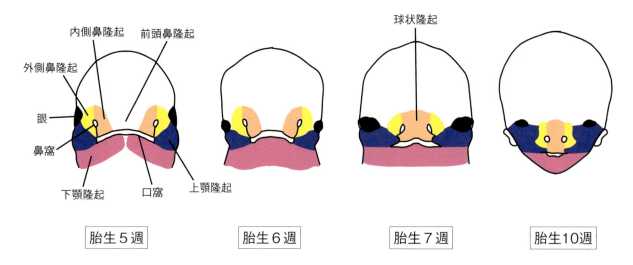

■口　蓋

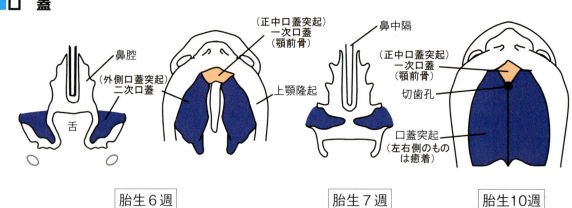

第1章　解剖学の基礎知識

Ⅰ．解剖学とは

　生物の構造（しくみ）を学習するのが「解剖学」であり，機能（働き）を学習するのが生理学である．解剖学はきわめて広範囲であるが，特にヒトの構造を学習する場合を人体解剖学とよぶ．医学，歯学では，最も基礎となる学問である．その他，臨床解剖学，法医解剖学，病理解剖学，比較解剖学などがある．

　学習の方法には，肉眼的（マクロ）レベルと，さらに顕微鏡を使用しなければわからないような顕微（鏡）的（ミクロ）レベルの解剖学がある．前者が肉眼解剖学で，一般に解剖学という．後者が顕微（鏡）解剖学で，一般に組織学という．

　肉眼解剖学では，同じような機能をもつ系統に分けて構造を学習する系統解剖学と，体表から深部へと構造を学習する局所解剖学がある．

　解剖学では，形，大きさ，重さ，色，硬さ，厚さ，構造物の位置関係などを学習する．これらの事項は，解剖学を学習するときの重要な基礎知識である．

Ⅱ．人体の構成

　体を構成する最小単位は細胞で，**細胞** cell →**組織** tissue →**器官**（組織の集合）organ →**系統** system（組織，器官の集合）→**個体**（ひとりのヒト）の順で構成されている．細胞・組織は肉眼ではみえないので顕微鏡でみる．器官・系統は肉眼でみえる．
系統には次のものがある．

①**骨（格）系**　　　　①と②を合わせて，運動（骨格）器系という．
②**筋系**

③消化器系
④呼吸器系
⑤泌尿器系
⑥生殖器系
⑦内分泌腺（系）
⑧脈管系
⑨神経系
⑩感覚器系

III. 解剖学の用語

ヒトの体の表面から内部まで，大きな構造から小さな構造について，名称がつけられている．これらの名称を「解剖学用語」といい，用いられる用語はほぼ決められている．解剖学用語は解剖学分野にとどまらず，いろいろな疾病に関する名称などの基本となっている．解剖学用語には，体の区分，位置，方向などの用語が多く用いられている．

IV. 体 の 区 分

体の体表（表面）は**体幹**と**体肢**の体部に，各体部はさらに細かく区分されている（**図1**）．**図2**には頭・頸部についての細い区分を示した．体幹とは，上肢，下肢を除く部分である．

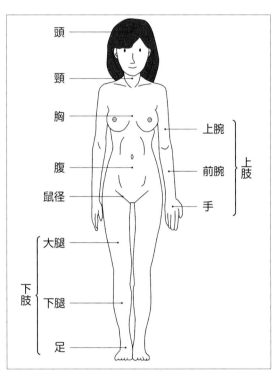

図1 ヒトの体の区分：前面

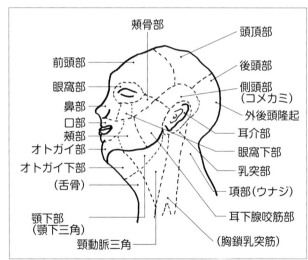

図2 頭部と頸部

V．体の位置と方向を示す用語（図3, 4）

解剖学的位置を示すには，ヒトが直立し手掌（手のひら）を前方へ向けた状態を基準とする．

① **垂直**（面）：直立した身体の縦軸と平行な，また地面に対し垂直な方向（面）
② **水平**（面）：直立した身体の縦軸と直角な，また地面と平行な方向（面）
③ **正中**（線）（面）：身体を左右に等しく分ける垂直方向，前および後正中線があり，両線を通る面が正中面で，ただ1つしかない
④ **矢状**（面）：正中面と平行な，つまり前後に通る面で，無数にある
⑤ **前頭**（面）：矢状面に対し直角な左右に通る面で，無数にある
⑥ **内側**：正中面に近づく方向，またはより近い位置
⑦ **外側**：正中面から遠ざかる方向，またはより遠い位置
⑧ **内**（方）：身体の体表面，または1つの器官の外表面を外，その内部方向を内という
⑨ **外**（方）
⑩ **前**（腹側）
（※ヒトは直立しているが，腹ばいになると前後は，地面と平行になることに注意を要する．）
⑪ **後**（背側）
⑫ **上**（頭方）
⑬ **下**（尾方）
⑭ **近位**
⑮ **遠位** ｝ 体肢で用いる
⑯ **近心**
⑰ **遠心** ｝ 歯の歯面について用いる

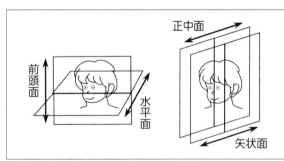

図3 体の位置と方向

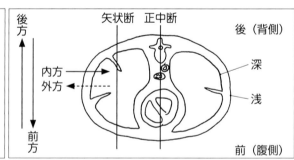

図4 体幹の横断

第2章 骨格系

I. 基礎知識

骨（**図5**）は，無機質，有機質で構成され水分約15％を含有し，歯の次に硬い器官である．

骨の役割は，①人体の支持，②受動的運動器官（筋の付着部位），③器官の保護（脳や肺など），④電解質の貯蔵（カルシウムやリンなど），⑤造血器官（骨髄）があげられる．

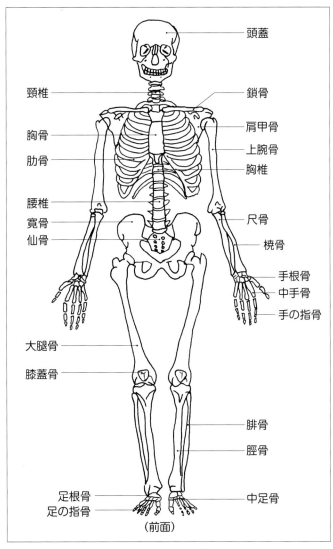

図5 全身の骨格

1．成人の骨数：42種200個（図5）

1）頭蓋：15種23個（図6）

(1) 脳頭蓋（神経頭蓋）：10種15個

- ①後頭骨　1個
- ②蝶形骨　1個
- ③側頭骨　1対（1×2個）
- ④頭頂骨　1対（1×2個）
- ⑤前頭骨　1個
- ⑥篩骨　1個
- ⑦下鼻甲介　1対（1×2個）
- ⑧涙骨　1対（1×2個）
- ⑨鼻骨　1対（1×2個）
- ⑩鋤骨　1個

※①～⑥の6種8個の骨は，脳の容器である頭蓋腔を形成．

(2) 顔面頭蓋（内臓頭蓋）：5種8個

- ①上顎骨　1対（1×2個）
- ②口蓋骨　1対（1×2個）
- ③頬骨　1対（1×2個）
- ④下顎骨　1個
- ⑤舌骨　1個

※耳小骨（ツチ骨，キヌタ骨，アブミ骨）は含んでいない．

2）脊柱：5種26個

- ①頸椎　7個
- ②胸椎　12個
- ③腰椎　5個
- ④仙骨　1個
- ⑤尾骨　1個

3）胸郭：3種37個

- ①肋骨　12対（12×2個）
- ②胸骨　1個
- ③胸椎　12個

※胸椎は脊柱にも含まれる．

4）上肢：10種64個

- ①鎖骨　1対（1×2個）
- ②肩甲骨　1対（1×2個）
- ③上腕骨　1対（1×2個）
- ④橈骨　1対（1×2個）
- ⑤尺骨　1対（1×2個）
- ⑥手根骨　8×2個
- ⑦中手骨　5×2個
- ⑧基節骨　5×2個
- ⑨中節骨　4×2個
- ⑩末節骨　5×2個

5）下肢：10種62個

- ①寛骨　1対（1×2個）
- ②大腿骨　1対（1×2個）
- ③膝蓋骨　1対（1×2個）
- ④脛骨　1対（1×2個）
- ⑤腓骨　1対（1×2個）
- ⑥足根骨　7×2個
- ⑦中足骨　5×2個
- ⑧基節骨　5×2個
- ⑨中節骨　4×2個
- ⑩末節骨　5×2個

※成人の場合，寛骨（腸骨，坐骨，恥骨），仙骨（5個の仙椎），尾骨（3～6個の尾椎）は化骨している．

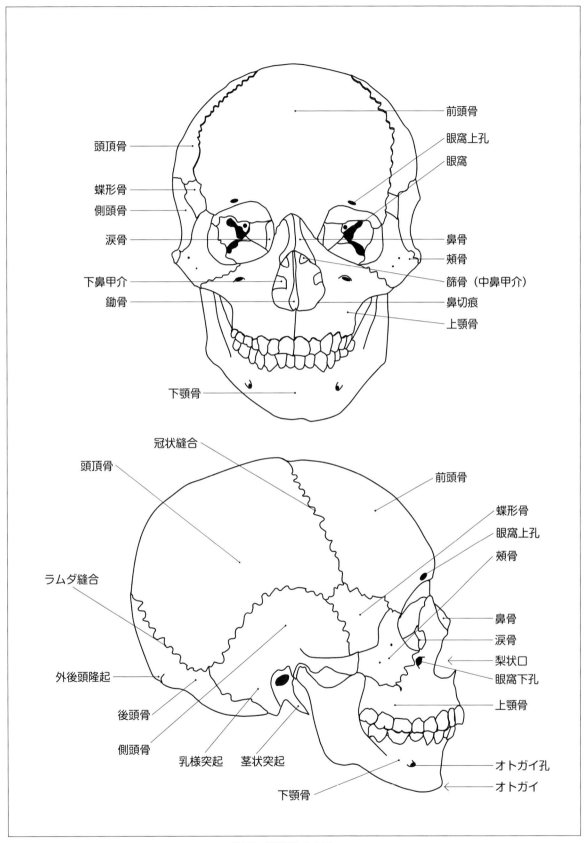

図6 頭蓋骨の全景

2．骨の外形（図7）

1）長 骨（管状骨）
長円柱状で両端が膨隆し，骨の長軸方向に長く成長する．長骨の中央部を骨幹，両端の膨隆部を骨端という．＜例：大腿骨，上腕骨など＞

2）短 骨
小さい塊状で，厚みが増す．＜例；胸椎，手根骨，足根骨など＞

3）扁平骨
扁平で板状な3層構造の内板および外板とよばれる硬い緻密骨があり，両板の間にスポンジ様の板間層（海綿質）が挟まる．＜例：前頭骨，頭頂骨など＞

4）含気骨
骨に空洞があり，その空洞が外界に通じている骨．空洞が鼻腔に通じているものを副鼻腔という．
＜例：上顎骨，前頭骨，篩骨，蝶形骨，側頭骨のみ＞

5）混合骨（上記の組合わせ）
一個の骨で，複数の特徴を同時に示す．＜例：側頭骨，蝶形骨，肩甲骨など＞

3．骨の構造（図8）

1）骨 質
骨は**緻密骨**（質）と**海綿骨**（質）からなる．
①緻密骨（質）―― 骨の外表面で層板構造である．
②海綿骨（質）―― 骨の内部で多数の骨小柱からなる．骨小柱の間は髄腔といわれ，骨髄が中に入る．

2）骨 髄
骨髄は，海綿骨の髄腔にある細網組織で，重要な**造血器官**である．ここですべての血球がつくられる．骨髄は年齢とともに，赤色骨髄→黄色骨髄→膠様骨髄と変化する．

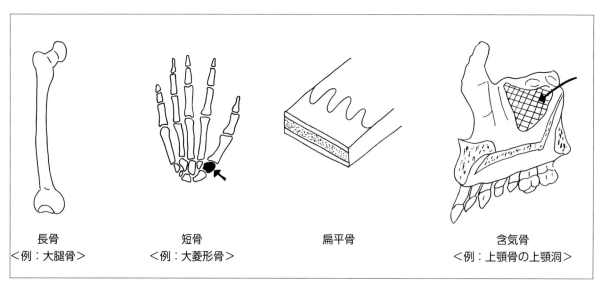

図7　骨の外形

3）骨 膜

骨の外面（関節面を除く）は，密線維性結合組織である骨膜で覆われており，血管や感覚神経の分布が豊富である．骨膜の役割は，①骨を保護する，②栄養と感覚を司る，③骨の太さの成長や骨折時の再生などである．骨膜と骨質との結合は非常に強力である（骨膜の線維が骨質中に入っている部分の線維を**シャーピー線維**という）．

4．骨の連結

1）線維性連結（図9）

骨と骨とが強い線維性結合組織で連結されている不動結合で，相互の骨の運動性がない．
① 靱帯結合　＜例：脛腓靱帯結合，骨間靱帯など＞
② **縫　合**　── 骨と骨が鋸（ノコギリ）の刃のようにかみ合い，その間の狭い隙間がわずかな結合組織で連結されている．＜例：冠状縫合，矢状縫合，ラムダ縫合など＞
③ **釘　植**　── 円錐状の歯根が歯槽にささっており，歯槽骨と歯根はシャーピー線維で結合されている．歯科領域では重要な連結で「骨植」ともいう．上顎骨と歯の間，下顎骨と歯の間にある．

2）軟骨性連結（図10）

骨と骨とが軟骨で結合されているので不動である．
① 硝子軟骨結合 ── 硝子軟骨が介在する結合．＜例：蝶後頭軟骨結合など＞
② 線維軟骨結合 ── 線維軟骨が介在する結合．＜例：恥骨結合，椎間関節など＞
③ 骨　結　合 ── 線維性あるいは軟骨性の結合部が骨に転化したもの．＜例：仙骨など＞

3）滑膜性連結

骨と骨との間に隙間を保って連結する．したがって，連結部の運動が可能となり，一般には「可動結合」あるいは「関節」とよばれる．

(1) 関節の構造（図11）

① 関節頭 ── 連結部の凸状となった骨端．
② 関節窩 ── 関節頭に対して，もう一方の連結部の凹状の骨端．
③ 関節腔 ── 関節頭と関節窩の間の隙間．
④ 関節包 ── 線維膜と滑膜からなる．滑膜から滑液が出て，関節腔内を満たす．

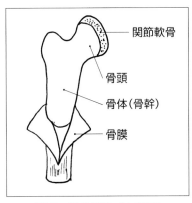

図8 骨の構造（大腿骨）

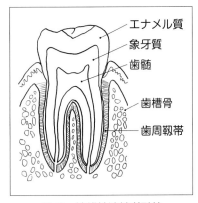

図9 線維性連結（釘植）

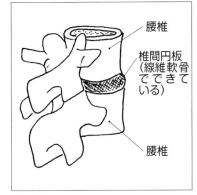

図10 軟骨性連結

⑤関節軟骨 —— 関節頭と関節窩の関節面で，硝子軟骨で覆われている．
⑥軟骨小板 —— 密線維性結合組織や線維軟骨でできたもので，関節腔内にある．
　a．**関節円板** —— 完全に関節腔を二分し，円板状である．＜例：**顎関節**，胸鎖関節，橈骨手根関節＞
　b．関節半月 —— 円板が半分に分かれ，中央に穴があいたもの．＜例：膝関節＞
　c．関節唇 —— 関節半月の穴が大きくなり，関節腔の周縁のみ．＜例：肩関節＞
⑦靱帯：関節の連結を補強する強靱な結合組織．関節包内や関節包外面に接する場合（補強靱帯）と，離れている場合（側副靱帯）とがある．

(2) 関節の分類

①数
　a．単関節 —— 2個の骨によってできる関節．＜例：肩関節，股関節など＞
　b．複関節 —— 3個以上の骨によってできる関節．＜例：肘関節，膝関節，顎関節など＞

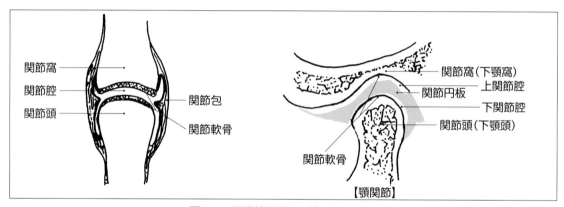

図11 滑膜性連結の関節の一般構造

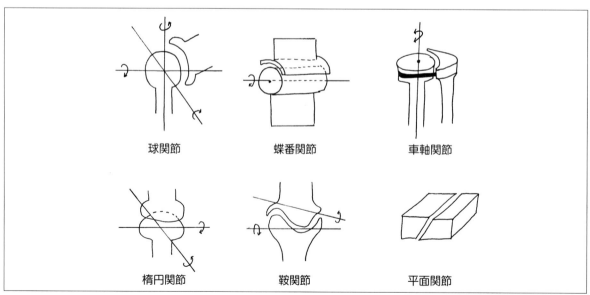

図12 関節の分類

②運動軸
- a．一軸性 —— 屈伸など1方向にのみ動く．＜例：腕尺関節など＞
- b．二軸性 —— 前後と側方など2方向に動く．＜例：橈骨手根関節など＞
- c．多軸性 —— 運動の軸が多く，どの方向へも動く．＜例：顎関節，肩関節，股関節など＞

③形（図12）
- a．蝶番関節 —— 一軸性の関節で，ドアの「ちょうつがい」の開閉に似ている．
  ＜例：腕尺関節，肘関節など＞
- b．楕円関節 —— 二軸性の関節で，関節頭は楕円球状で，関節窩は楕円形の凹みをつくる．
  ＜例：環椎後頭関節，橈骨手根関節など＞
- c．球関節 —— 多軸性の関節で関節頭は球面状で，関節窩は対応して丸く凹む．＜例：肩関節＞
  関節窩に関節頭の半分以上が深くはまり込んだものを臼状関節という．＜例：股関節＞
- d．車軸関節 —— 一軸性の関節で関節頭の回転軸が，骨の長軸に一致して関節窩内を回転する．
  ＜例：上・下橈尺関節，正中環軸関節＞
- e．鞍関節 —— 二軸性の関節で関節頭と関節窩が鞍（人が乗りやすいように馬などの背に置く"くら"）
  を2つ十字に組み合わせたように，直角に交叉する．＜例：母指の手根中手関節など＞
- f．平面関節（半関節） —— 関節頭も窩も平面．靱帯で強く結合されている．
  ＜例：椎間関節，仙腸関節など＞

Ⅱ．頭蓋の骨

1．脳頭蓋

1）後頭骨（図13）

底部，外側部，後頭鱗からなる．後頭部にある貝殻状の骨で，脳の後下面に沿って軽く彎曲する．

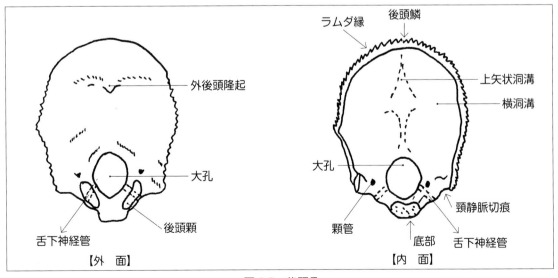

図13　後頭骨

大孔（延髄下部，椎骨動・静脈が通る）は底部の前端近くにある．底部外面には後頭顆があり，環椎（第一頸椎）と連結し，環椎後頭関節をつくる．外側部には**舌下神経管**（舌下神経が通る）がある．

2）蝶形骨（**図14**）

　蝶形骨は，①蝶形骨体，②小翼，③大翼，④翼状突起からなる．全体は蝶が羽を広げたような形をしており，蝶の胴体に相当するところが蝶形骨体で，蝶形骨体から左右に小翼と大翼，下方に翼状突起が出ている．頭蓋底の中央に位置し，頭蓋を形成する骨が複数連結する．

①蝶形骨体 ── 内部に副鼻腔の1つである**蝶形骨洞**があり，鼻腔に通じる．上面は凹んで**トルコ鞍**といい，中央に**下垂体窩**（下垂体を入れる）がある．トルコ鞍は，歯科矯正学では頭部X線規格写真（セファロ写真）として，その中心点をS（セラ：sera）点として，重視している（**図15**）．また，蝶形骨体には視神経交叉溝（視神経交叉が乗る）がある．

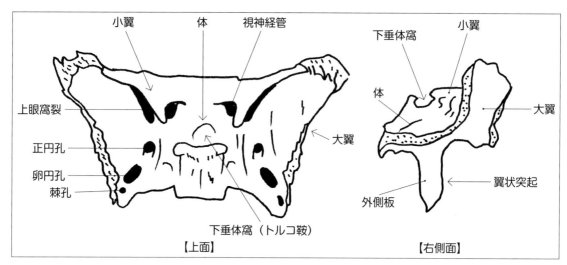

図14　蝶形骨

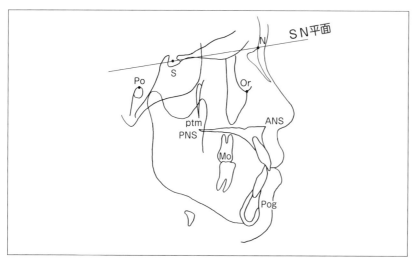

図15　側貌頭部X線規格写真のトレース
（基準平面と数字は標準的角度計測値）

②**小翼** ── 蝶形骨体の前端から左右に出る．小翼基部の前外側には，**視神経管**（視神経，眼動脈が通り，眼窩へ通じる）がある．

大翼と小翼の間には，上眼窩裂（動眼神経，滑車神経，外転神経，眼神経，上眼静脈が通り，眼窩へ通じる）がある．

③**大翼** ── 体の後部から広く左右に前外側方にひろがる．前方から，**正円孔**（上顎神経が通り，翼口蓋窩へ通じる），**卵円孔**（下顎神経が通り，側頭下窩へ通じる），棘孔（下顎神経の硬膜枝と中硬膜動・静脈が通り，側頭下窩へ通じる）がある．

④**翼状突起** ── 外頭蓋底から下方へ突出する翼状突起の外側板と内側板からなる．両板の間は**翼突窩**（内側翼突筋が起始），**翼状突起外側板の外側面**（外側翼突筋が起始），突起の基部には前後に走る翼突管（翼突管神経，動・静脈が通り，翼口蓋窩へ通じる）がある．

3）側頭骨（図16）

①鱗部，②岩様部，③鼓室部に分けられる．頭蓋の外側壁のほぼ中央および頭蓋底の一部を形成している複雑な骨（不規則骨）で，特に内耳・中耳・外耳を形成する．

①**鱗部** ── 頭蓋腔壁の側面中央部を形成する部分である．**鱗部外側面**（側頭筋が起始）は外耳孔の上方である．下部から前方に頰骨突起が突出する．側頭骨の頰骨突起と頰骨の側頭突起とが連結して**頰骨弓**（咬筋が起始）をつくる．また，頰骨突起基部の下面に楕円形の凹んだ**下顎窩**がある．下顎骨の下顎頭と側頭骨の下顎窩との間に**顎関節**を形成する．下顎窩の直前で，頰骨突起基部には関節結節がある．

②**岩様部** ── 中に内耳（平衡・聴覚器）を入れる．乳突部と錐体に分けられる．

　a. 乳突部 ── 外耳孔の後方に位置し，下方へ大きい**乳様突起**（胸鎖乳突筋が停止）が出る．その突起の内側には乳突切痕（顎二腹筋の後腹が起始）がある．内部には蜂の巣のような小腔（乳突蜂巣と乳突洞）がある．

　b. 錐体 ── 内側方へ突出する．下面から下方へ細くて長い茎状突起（茎突舌骨筋，茎突舌筋，茎突咽頭筋，茎突下顎靱帯が起始）が出る．この突起の基部すぐ後ろには茎乳突孔（顔面神経が通る）

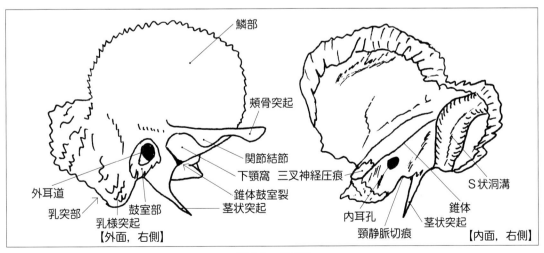

図16 側頭骨

があり，錐体の後面（頭蓋内腔面）にある内耳孔（内耳神経，顔面神経，迷路動・静脈が通る）との間に曲がりくねった顔面神経管が骨内で通じている．錐体前端の上面には三叉神経圧痕（三叉神経節と三叉神経の根部が乗る）がある．

　③鼓室部──外耳道を下方から囲む上面の凹んだ不正四角形の薄い骨板である．外耳孔の奥には，耳小骨（ツチ骨，キヌタ骨，アブミ骨）がある．

4）頭頂骨（図6）

長方形の扁平骨で，頭蓋の上壁を形成する．頭頂骨が左右側で合して，**矢状縫合**をつくる．また，左右側頭頂骨と前頭骨の間で**冠状縫合**をつくる．左右側頭頂骨と後頭骨の間で**ラムダ縫合**をつくる．

5）前頭骨（図6）

前頭鱗，眼窩部，鼻部の3部に分けられる．額，頭蓋の前部にある骨である．前頭鱗は前頭部をつくる部分で，前下縁は弓状の眼窩上縁で眼窩と境する．この縁の内側よりに眼窩上孔（または切痕：眼窩上神経，動・静脈が通る）がある．前頭鱗下部の内部にある1対の空洞を**前頭洞**といい，副鼻腔の1つで，鼻腔に通じる．眼窩部は眼窩上壁の大部分をつくる薄い骨板である．鼻部は左右の眼窩部の間の狭い部分である．

6）篩　骨

鼻腔の上壁を形成する骨（**図17**）で，蝶形骨の前方，前頭骨の後下方に位置する無対の骨である．篩板，垂直板，篩骨迷路に分けられる．篩板は水平板で多数の小さい篩孔（嗅神経が通る）がある．篩（ふるい）とは，枠の下に網を張った道具のことで，粒状のものを入れて振り，網目を通る細かい粒をより分けるもの．垂直板は正中に位置し，鼻中隔の上部を形成する．篩骨迷路は非常に薄い骨板で，ちょうど丸めた紙のように篩板の両端に下がり，篩骨の外側部を形成する．その内部には篩骨洞（篩骨蜂巣）という多数の含気腔を入れる．これも副鼻腔の1つである．その壁は上鼻甲介と中鼻甲介として鼻腔内へ突出する．

7）下鼻甲介（図17）

中鼻甲介の下で鼻腔に突出する．上顎骨鼻腔面に連結し鼻腔外側壁を形成する．独立した小骨である．

8）涙　骨（図6）

眼窩の内側壁前方にある小骨である．

9）鼻　骨（図6）

鼻根部にある小骨で，左右のものが正中で縫合している．

10）鋤　骨（**図18**）

篩骨の垂直板の下方に続いて，鼻中隔軟骨とともに鼻中隔の下半部を形成している．

2．顔面頭蓋

1）上顎骨（**図19，20**）

上顎骨は（1）**上顎体**，（2）**前頭突起**，（3）**頬骨突起**，（4）**口蓋突起**，（5）**歯槽突起**に分けられる．顔面の中央を形成する1対の骨で，鼻腔と，口腔の入り口の一部を形成する．

（1）上顎体

上顎骨の主要部を占める箱状の骨塊部であるが，中は大きな空洞になっていて**上顎洞**（ハイモア洞）とよばれる．この洞は最も大きい副鼻腔で，体の内側面にある上顎洞裂孔によって鼻腔に通じる．上顎体は，さらに前面，側頭下面，眼窩面，鼻腔面の4面に分けられる．

①前面

顔面の中央を占める部で，上縁は眼窩面との境界で鋭い眼窩下縁（上唇挙筋が起始）になっている．この縁中央の少し下方には**眼窩下孔**（眼窩下神経，動・静脈が通る）があり，眼窩面から始まる眼窩下溝，眼窩下管（眼窩下神経，動・静脈が通る）に続く．この孔の下方，上顎犬歯の歯根尖近くに**犬歯窩**（口角挙筋が起始）がある．下縁は**歯槽突起**に移行し，内側縁は**鼻切痕**となり，左右側の鼻切痕と左右側鼻骨下縁とで**梨状口**（鼻腔の入口）をつくる．上外側方は**頬骨突起**に移行する．

②側頭下面

頬骨突起から後方へ回ったところで，ほぼ後面に相当する．側頭下窩の前壁で蝶形骨大翼とは下眼窩裂を，翼状突起とは翼上顎裂を形成する．この面の中央部は粗でやや隆起しており（**上顎結節**），ここ

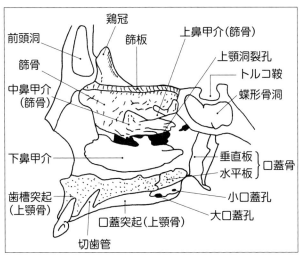

図17　鼻腔

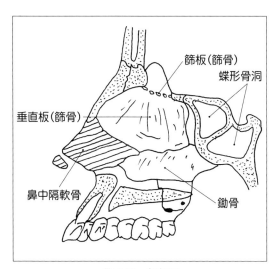

図18　鼻中隔

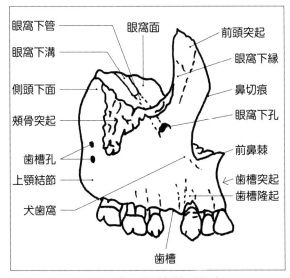

図19　上顎骨（右側，前面）

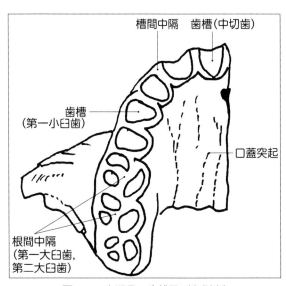

図20　上顎骨の歯槽弓（右側半）

に数個の**歯槽孔**（後上歯槽動・静脈，上顎神経の後上歯槽枝が通る）がみられ，上顎洞外側壁中を通っている歯槽管の入口である．

③眼窩面

体の上面で眼窩の下壁を形成する三角形の滑らかな面で，後ろから前へ走る**眼窩下溝**（眼窩下神経，動・静脈が通る）があり，途中で骨質中にもぐり，**眼窩下管**（眼窩下神経，動・静脈が通る）となり**眼窩下孔**（眼窩下神経，動・静脈が通る）に開く．眼窩面は大変薄く，吹き抜け骨折（眼球陥凹）が起こる場所でもある．

④鼻腔面

体の内側面で鼻腔の外側壁に相当し，ほぼ中央に倒立三角状の**上顎洞裂孔**がある．これは上顎洞の入口で，鼻腔の底よりも高い位置にある．この面の前方では，涙骨や下鼻甲介とともに鼻涙管の外側壁がある．後方には大口蓋溝があり，口蓋骨の大口蓋溝と合して**大口蓋管**（下行口蓋動・静脈，大口蓋神経が通る）を形成する．

(2) 前頭突起

前頭骨と連結する部分で，上顎体の前上内側部から鼻骨と涙骨の間を前頭骨の鼻縁まで上行する突起である．

(3) 頬骨突起

上顎体の外側上端から頬骨に向かう突起で，頬骨と連結する．

(4) 歯槽突起

上顎体から下方に自然に移行した部分で，堤防状に隆起して弓形を呈し，左右のものが合してU字形を呈している．下面には歯根をいれる陥凹，すなわち成人では8個の**歯槽**（歯根を入れる容器）がある．全体で歯槽弓がつくられ，おのおのの歯槽の間には薄い骨板でできた隔壁があり，これを**槽間中隔**という．歯根が分岐する小臼歯や大臼歯では歯槽内には**根間中隔**がある．歯槽に一致して歯槽突起の外側面に歯根の外形に一致した軽い隆起がみられ，これを**歯槽隆起**とよぶ．

(5) 口蓋突起

歯槽突起の内側面から正中へ水平に出ている板状の部分で，鼻腔の底（下壁）をなすとともに口腔の天井をつくる．左右側口蓋突起の内側縁は互いに合して**正中口蓋縫合**をつくる．後縁は左右側口蓋骨の水平板と合して**横口蓋縫合**をつくる．骨口蓋の前方2/3を形成する．正中口蓋縫合の前端には**切歯窩(孔)**があり，**切歯管**（鼻口蓋神経，中隔後鼻動・静脈が通る）につづいている．

2) 口蓋骨

上顎骨と蝶形骨の間にあるL字形の骨で，①垂直板と②**水平板**からなる．骨口蓋の後部と，鼻腔の外側壁の後部を形成する．

(1) 垂直板

上顎体鼻腔面の後ろに連結して鼻腔外側壁をつくる．外側面は上顎体に面し，ここには後上方から前下方に走る大口蓋溝があり，上顎骨の大口蓋溝と合して**大口蓋管**（下行口蓋動・静脈，大口蓋神経が通る）をつくる．上縁には蝶口蓋切痕があり，蝶形骨体との間で**蝶口蓋孔**（翼口蓋神経の後鼻枝と蝶口蓋動・静脈が通る）をつくり，鼻腔と翼口蓋窩との通路になる．

(2) **水平板**

上顎骨の口蓋突起の後縁と連結して骨口蓋の1/3を形成する．すなわち，**骨口蓋**とは，上顎骨口蓋突

起と**口蓋骨水平板**で構成されている．外側縁には切痕があり，上顎骨体の内側面との間に**大口蓋孔**（大口蓋動・静脈，神経が通る）をつくる．この孔の後方には1～2個の**小口蓋孔**（小口蓋動・静脈，神経が通る）がある．

3）頰　骨（図6）

顔面で眼窩の下外側方に位置し，頰の上部をつくる．上顎骨，前頭骨，側頭骨の頰骨突起との間にはさまる．後方に向かう側頭突起は側頭骨の頰骨突起と連結して頰骨弓を形成する．外側面には頰骨顔面孔，眼窩面には頰骨眼窩孔，側頭面には頰骨側頭孔（いずれも上顎神経の頰骨神経が通る）がある．

4）下顎骨（**図21**）

頭蓋の下部を占める強大な無対の骨で，左右の顎関節によって側頭骨と可動的に結合している．斜線により下顎体と下顎枝に分けられる．

(1) 下顎体

斜線より前方の部分である．上縁，下縁，外側面，内側面に分けられる．

上縁とその周辺を**歯槽部**とよび，上顎骨の歯槽突起に相当する（注：下顎骨には歯槽突起はなく，歯槽部という）．**歯槽**，**歯槽弓**，**槽間中隔**，**根間中隔**，**歯槽隆起**も上顎骨と同様に存在する．第二大臼歯歯槽の後方は下顎枝の内面につづく傾斜した狭い三角形の骨面があり，これを**臼後三角**という．

下縁は下顎底とよび，肥厚している．底の前端は前上方に突出して顔のオトガイ（頤）をつくる．

外側面の正中には，両側の体が癒合した部分があり隆起線となっている．この線は底の少し上方で三角形の広い**オトガイ隆起**となる．その外側方で下縁近くに**オトガイ結節**がある．これらオトガイ結節と隆起がつくる全体の高まりを**オトガイ**という．下顎底の幅が厚くなっていることとオトガイの形成は，他の哺乳動物にみられないヒトの特徴である．下顎体の外面でオトガイ結節の後上外側方，下顎第一または第二小臼歯の下方にある孔を**オトガイ孔**（オトガイ神経，動・静脈が通る）といい，後上方に向かって開口している．この孔は下顎管の前端である．オトガイ孔の後方から下顎枝前縁につづく線状の高まりを斜線という．

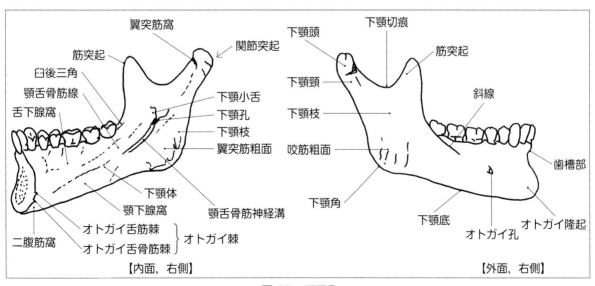

図21　下顎骨

内側面はやや複雑で，正中線の下方に上下に並ぶ2対の小突起を**オトガイ棘**という．上方はオトガイ舌筋棘（オトガイ舌筋が起始），下方をオトガイ舌骨筋棘（オトガイ舌骨筋が起始）という．オトガイ棘の下外側方には**二腹筋窩**（顎二腹筋前腹が停止）がある．オトガイ棘の上外側から後上方に向かって走る長い隆起を**顎舌骨筋線**（顎舌骨筋が起始）という．筋線の下を平行に走る溝を顎舌骨筋神経溝（顎舌骨筋神経，動・静脈が通る）という．顎舌骨筋線の前方の上方には**舌下腺窩**（舌下腺がある），中央部で顎舌骨筋線の後下方には**顎下腺窩**（顎下腺がある）がある．

(2) 下顎枝

下顎体の後端から後上方に伸びた板状部である．前縁は鋭く，下方は斜線に移行する．後縁と下顎底とでできる角を**下顎角**といい，年齢，歯の有無によって角度が変化する（**図22**）．

上縁には前後に2つの大きな突起があり，両突起間を下顎切痕（咬筋神経，動・静脈が通る）という．前の突起は**筋突起**（側頭筋が停止），後ろのものは**関節突起**である．関節突起の上端は内外側方向に肥厚して下顎頭とよび，側頭骨の下顎窩との間に**顎関節**を形成する．下顎頭の下はくびれていて**下顎頸**といい，その前内側面に翼突筋窩（外側翼突筋が停止）がある．

外側面の下顎角近くは粗く，**咬筋粗面**（咬筋が停止）という．

内側面では，下顎角近く，つまり咬筋粗面の裏面は**翼突筋粗面**（内側翼突筋が停止）という．ほぼ中央には**下顎孔**（下歯槽神経，動・静脈が通る）があり，ここから骨内を前内側方へ進む下顎管となり**オトガイ孔**（オトガイ神経，動・静脈が通る）に開口する．その直前に切歯歯根の下方に至る細管が正中に向かう．下顎孔の前上方には下顎小舌があり，蝶下顎靱帯がつき，下顎角内面には茎突下顎靱帯がつく．

5) 舌　骨（図23）

喉頭のすぐ上方，下顎骨との間にあるU字形の小骨である．唯一，他の骨と連結しない骨である．体，大角と小角とがある．舌骨上筋および舌骨下筋が付着する．

3．頭蓋の全景（図6）

脳頭蓋（神経頭蓋）は脳と感覚器を収め，顔面頭蓋（内臓頭蓋）は脳頭蓋の前下方にあって，顔面，鼻腔および口腔などの骨組みをつくる．ヒトでは脳頭蓋の容量のほうが大きい．

頭蓋は，頭蓋冠，頭蓋底（内頭蓋底，外頭蓋底），前面（眼窩，鼻腔），側面（側頭窩，側頭下窩，翼口蓋窩），後面の各部位に分けられる．

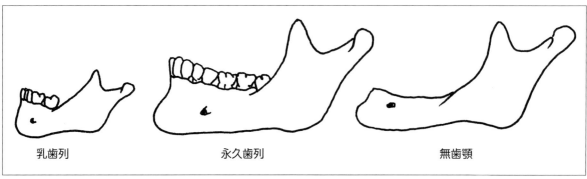

図22 下顎骨の加齢変化

乳歯列　　　永久歯列　　　無歯顎

1）頭蓋冠

脳を入れる頭蓋腔の天井で，カルバリアともいう．すなわち上壁で扁平骨が縫合してできたお椀状の部分である．外面は滑らかであるが，内面には深い動脈溝や静脈溝をみる．また，脳硬膜静脈洞に一致した多数の静脈洞溝がある．

2）頭蓋底

頭蓋冠に対して脳を入れる頭蓋腔の底壁である．その上面を内頭蓋底，下面を外頭蓋底という．

（1）内頭蓋底（図24）

脳の下面に接する頭蓋腔の底をなし，深いくぼみで，前・中・後頭蓋窩の3部に分けられる．前頭蓋窩には大脳の前頭葉，中頭蓋窩には側頭葉，後頭蓋窩には後頭葉と小脳が入っている．脊髄と脳神経や血管の通路となる多数の孔や管（視神経管，上眼窩裂，破裂孔，**正円孔**，**卵円孔**，棘孔，頸動脈管，頸静脈孔，内耳孔，大孔，舌下神経管など）をみる．

（2）外頭蓋底（図25）

脊柱に連結する側で，下顎骨と舌骨を除いた頭蓋の外底である．

前方には上顎骨口蓋突起と口蓋骨水平板からなる骨口蓋がある．正中口蓋縫合の前端には切歯窩があり，切歯管につづく．骨口蓋の後外側には大口蓋孔と小口蓋孔をみる．そのほか，後鼻孔，**翼突窩**，**卵円孔**，棘孔，下眼窩裂，**下顎窩**，茎状突起，乳様突起，**茎乳突孔**，大孔，後頭顆などをみる．

3）前面（図6）

（1）眼　窩

眼球およびその付属物を入れる先端を後方に向けた四角錐形の深いくぼみで，後端で視神経管と上眼窩裂によって頭蓋腔に通じている．

眼窩は以下の上，下，内側，外側の4つの骨壁に分けられる．

- 上　壁 —— 前頭骨眼窩面，蝶形骨小翼
- 下　壁 —— 上顎体眼窩面，頬骨眼窩面の一部，口蓋骨眼窩突起
- 内側壁 —— 篩骨眼窩板，涙骨，上顎骨前頭突起，蝶形骨体の一部
- 外側壁 —— 頬骨の眼窩面，蝶形骨大翼

（2）鼻　腔（図17，18）

顔面頭蓋の正中部にあり，前方は梨状口で顔面に開き，後方は後鼻孔で外頭蓋底に開いている．骨性鼻中隔（篩骨垂直板と鋤骨）によって左右の鼻腔に分けられる．

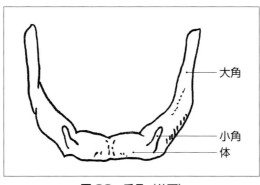

図23 舌骨（前面）

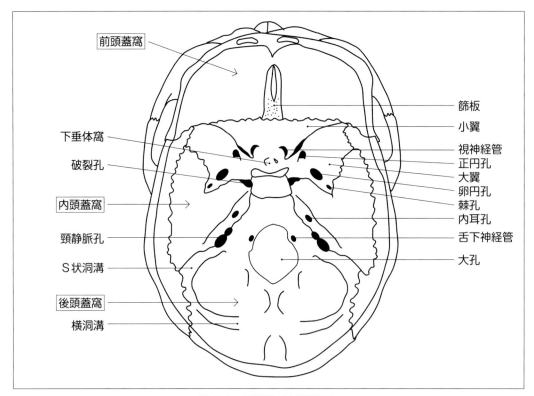

図24 頭蓋底（内頭蓋底）

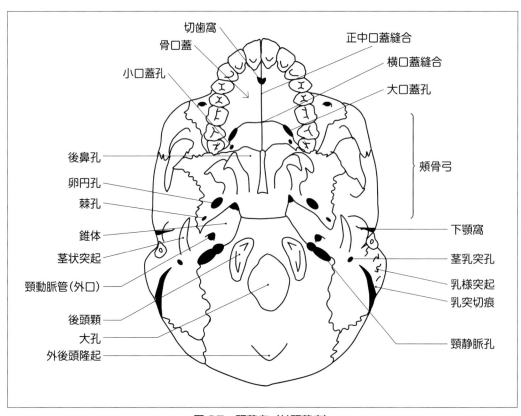

図25 頭蓋底（外頭蓋底）

鼻腔は以下の上，下，内側，外側の4つの骨壁に分けられる．
- 上　壁 ── （前部）前頭骨，鼻骨，（中央部）篩骨篩板，（後部）蝶形骨
- 下　壁 ── 上顎骨口蓋突起と口蓋骨水平板
- 内側壁 ── 鼻中隔（鋤骨，篩骨垂直板），
- 外側壁 ── 上顎体と前頭突起，涙骨，篩骨迷路，口蓋骨垂直板，蝶形骨の翼状突起内側板，上，中，下鼻甲介が内側に突出している．そのために内腔は上，中，下鼻道に分けられる．下鼻道へは眼窩から鼻涙管が開口する．

副鼻腔は鼻腔の周囲の骨格内にあるいくつかの空洞の総称で，いずれの洞も鼻腔に開口している．

```
上顎洞　　→中鼻道
篩骨洞　　→前部は中鼻道，後部は上鼻道
前頭洞　　→中鼻道
蝶形骨洞 →上鼻道の蝶篩陥凹
```

4) 側面

脳頭蓋の外側面中央部を側頭平面といい，側頭窩の底となる．

(1) 側頭窩

側頭平面（内側），頬骨（前方），前頭骨，頬骨弓（外側）で囲まれた浅い凹みで，側頭筋が位置する．

(2) 側頭下窩（図26）

側頭窩の頬骨弓の高さから下方につづく空間で，下顎枝内側面（外側）と側頭下稜（内側）に囲まれ，内側および外側翼突筋が位置する．

(3) 翼口蓋窩（図26）

側頭下窩の内側で，上顎体と蝶形骨翼状突起との間にある翼上顎裂から内側へ入ったところにある縦に長い骨の凹みである．翼口蓋窩は複数の骨によって取り囲まれ，これらの骨には神経や血管が通る孔，裂，

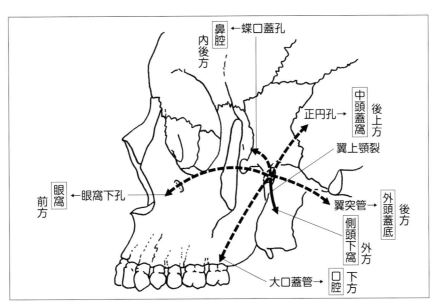

図26　翼口蓋窩を中心とした通路（左側）

管がある．翼口蓋窩はこれらの神経や血管が交差，分岐して鼻腔，口蓋，内・外頭蓋底，眼窩へ向かう通路の中心となっており，局所的に重要なところである．

5）後面
後頭骨（図6）によって形成される．正中の外後頭隆起から下方に延長すれば脊柱の棘突起に連なる．

4．頭蓋の連結

1）縫合（図27）
頭蓋を組み立てている骨と骨とは，下顎骨と舌骨を除いて，ほとんど縫合による連結とみてよい．多数の縫合のうち，主なものは**矢状縫合**，**冠状縫合**，**ラムダ縫合**，鱗状縫合である．

新生児では頭蓋冠の縫合がまだ完成されず結合組織のままである．これを**泉門**（図28）という．

・**大泉門**──冠状縫合，矢状縫合，前頭縫合の十字点．
・**小泉門**──ラムダ縫合と矢状縫合の交叉点．
・前側頭泉門，後側頭泉門．

2）軟骨結合
頭蓋底を形成する骨の間に軟骨が残ったもので，脳の発育と関係が深い．たとえば蝶後頭軟骨結合．

3）靱帯結合（図29）
頭蓋と舌骨との連結は茎突舌骨靱帯による．

4）顎関節（図30）

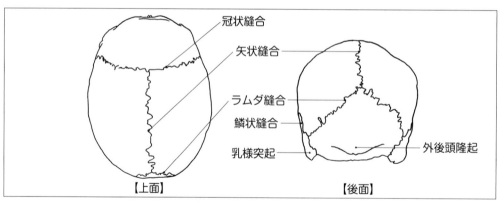

図27 頭蓋冠の縫合

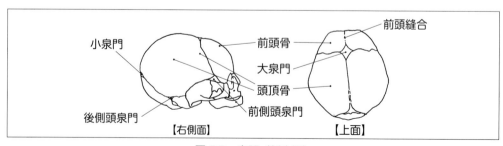

図28 泉門（新生児）

下顎骨の下顎頭と側頭骨の下顎窩が連結する関節で，頭蓋での唯一の可動結合である．しかも，**顎関節**のように正中線をまたいでいる関節はほかにはみあたらない．

〔形態〕

関節の形態は運動軸から以下のように分けられる．

- 楕円関節 ——— 関節頭は横に長い楕円体（顆状）
- 蝶番関節 ——— 口の開閉，つまり下顎を引き下げ，挙上する運動
- 多軸性の関節 —— 蝶番，側方，回旋運動
- 複関節 ———— 1個の下顎骨が左右の側頭骨と関節

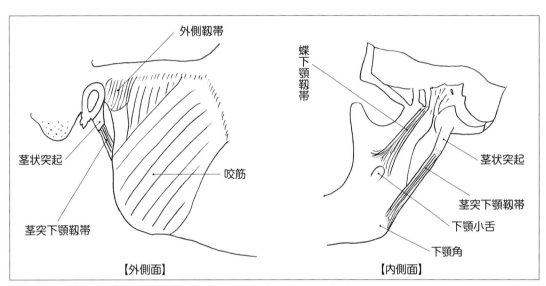

図29 顎関節に付属した靱帯

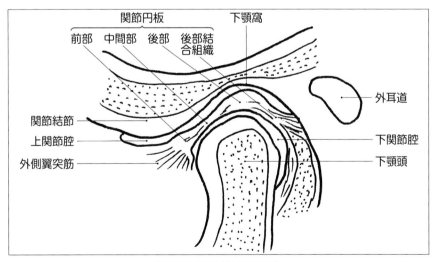

図30 顎関節（矢状断）

〔構造〕

①**下顎頭** ── 関節面は線維軟骨で覆われ，左右に長い楕円体で，口を開閉すると外耳孔の前で外耳道内から触診できる．

②**下顎窩** ── 関節面は線維軟骨で覆われ，頭に比べて広くて浅い．後縁は外耳道上壁で，錐体鼓室裂（鼓索神経）と境界し，前縁に関節結節があって，頭の前方への脱臼を防いでいる．

③**関節包** ── 滑膜で内張りされる．

④**関節円板** ── 線維軟骨板で関節腔を完全に上下に二分し，円板前縁には外側翼突筋の一部が停止する．円板は頭と窩の形態上の差を補塡して多軸運動を可能にさせ，また咬合時の強大な瞬発力に対処する．

⑤付属する靱帯

　　a．**外側靱帯** ─── 関節包の外側面に密着して側頭骨頰骨突起から下顎頭につく．

　　b．**茎突下顎靱帯** ── 側頭骨の茎状突起から下顎骨内側面を前下方へ下顎角につく．

　　c．**蝶下顎靱帯** ─── 蝶形骨棘と錐体鼓室裂から下顎枝内側面の下顎小舌につく．

　　※ a は**補強靱帯**，b と c は**補助靱帯**．b は発生過程での残存物である．

〔運動〕（**図31**）

①蝶番運動では，両側の頭を連ねる水平軸を中心に，主として関節頭と円板の間で行われ，下顎が引き下げられ（開口），また挙上する（閉口）．開口時には頭は円板下面を前下方へスライドして関節結節に乗る．さらに大きく開口すると頭とともに円板もスライドして結節に乗る．

②下顎の水平（前方）運動では，両側の外側翼突筋が収縮し，円板と窩の間で行われる．

③側方（回旋）運動では，1側の外側翼突筋が収縮すると反対側の頭を通る垂直軸を中心に下顎は反対側へ回旋する．この場合も円板と窩の間で行われる．

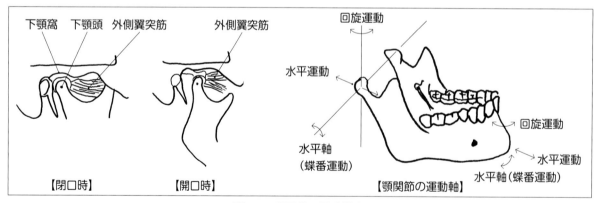

図31 顎関節の運動様式

第3章 筋　系

Ⅰ. 基礎知識

1. 一般性状

　筋は，組織学的には横紋筋で構成された1つの器官である．通常，筋の一端は骨格に付着するので**骨格筋**と称され，もう一方の端は骨や皮膚に付着してその部を運動させるもので，個人の意志に従って収縮する（随意運動）．ヒトでは全身に約600個の骨格筋がある．筋系は**能動的運動器官**ともいわれ，骨系は受動的運動器官といわれる．

　筋の一端を**起始**とよび通常は固定側，もう一方の端を**停止**とよび運動側となる．一般には正中線に近いほうを起始とし，そして正中線から遠いほうを停止とする（**図32**）．

　筋頭　── 筋の起始側
　筋腹　── 筋の中央領域
　筋尾　── 筋の停止側

　筋頭と筋尾は，骨などへの付着を強くするために密線維性結合組織の腱でできていることが多く，それぞれ起始腱と停止腱ともいわれる．

2. 分　類

1）筋の付着による分類

　①**骨格筋** ── 骨から起始して骨に停止

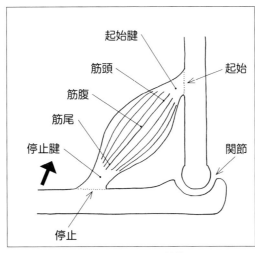

図32　筋の一般性状

②皮　筋 ── 皮膚に停止
　③関節筋 ── 関節包に停止

2）形や走向による分類（図33）

　①紡錘状筋 ── 最も一般的な形態．筋の中央部が太く，両端が細いもの．
　②羽状筋 ── 腱の両側または片側に筋束がついたもの．
　③二頭筋，三頭筋，四頭筋 ── 筋頭が複数のもの．
　④二腹筋，多腹筋 ── 筋腹が縦に2個ないし3個以上連なるもの．筋腹の間には腱（中間腱または腱画という）がある．
　⑤鋸　筋 ── 停止が手指状の筋束に分かれ，その輪郭がノコギリ状になるもの．
　⑥輪　筋 ── 口などの周りで，筋線維が輪状に走向するもの．

3）運動方向による分類

　①屈筋と伸筋 ── 関節など体肢を曲げる筋と伸ばす筋．
　②内転筋と外転筋 ── 内転筋は上肢や下肢を正中線に近づけ，外転筋は逆に正中線から遠ざける筋．
　③回内筋と回外筋 ── 体肢やその骨の長軸を軸とする運動で，内旋と外旋がある．前腕については回内，回外という．回内は手掌を伏せるようにねじる．回外はその逆をいう．
　④挙筋と下制筋 ── 引き上げる筋と引き下げる筋．
　⑤括約筋と散大筋 ── 瞳孔や肛門など孔をせばめる筋と開く筋．

4）筋の作用による分類

　協力筋と拮抗筋 ── 複数の筋が働くとき，同じ作用をする筋群と，その反対の作用をする筋群．

3．補助装置

1）筋　膜

　筋を1つずつ，または複数をまとめて，その表面を包む結合組織性の膜．筋を支持してそれぞれの位置に固定する．

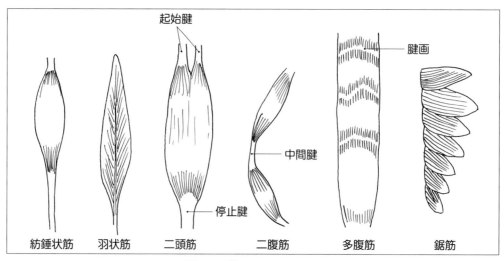

図33　筋のいろいろな形

2）筋支帯
関節の付近で筋膜が厚くなって，いくつかの筋の停止腱が浮き上がらないようにおさえているもの．手首や足背にみられる．

3）腱　鞘（滑液鞘）
動きの多い長い腱（手指などの）の周りを包む鞘状の袋．内面は滑膜で覆われ，外面は結合組織．腱が大きく移動するところにあり，周囲組織と腱の運動を滑らかにする．

4）滑液包
滑液が入った結合組織性の袋．筋や腱が骨や軟骨に接するところの緩衝材となり，摩擦を軽減する．

5）筋滑車
靱帯でできた輪．腱が通って方向をかえるため，その筋の運動方向をかえる．

6）種子骨
常に激しく運動する腱の中，またはこれに癒着している関節包に，摩擦に抵抗して生じた小骨片．手，足に多くみられ，膝蓋骨は大腿四頭筋腱内にできた巨大な種子骨である．

Ⅱ．全身の筋

1．体幹の筋
　①頭部 ── 表情筋，咀嚼筋
　②頸部 ── 浅頸筋，外側頸筋，前頸筋，後頸筋
　③胸部 ── 浅胸筋，深胸筋，横隔膜
　④腹部 ── 前腹筋，側腹筋，後腹筋
　⑤背部 ── 浅背筋，深背筋

2．体肢の筋
　①上肢 ── 上肢帯，上腕，前腕，手
　②下肢 ── 下肢帯，大腿，下腿，足

Ⅲ．頭部の筋

1．表情筋（浅頭筋）
顔面筋ともいう．さまざまな表情を表し，またヒトでは構音にも関与する筋群（**図34**）．多数の比較的薄い小さな筋で，筋膜をもたず皮筋に属する．
　　起　　始 ── 顔面を構成する頭蓋の骨
　　停　　止 ── それぞれの場所の皮膚の裏側
　　作　　用 ── 表情をつくる．構音にも関与する
　　支配神経 ── 顔面神経

1）口裂周囲の表情筋（**表1**）
2）頭蓋表面の筋 ── 前頭筋，後頭筋，側頭頭頂筋

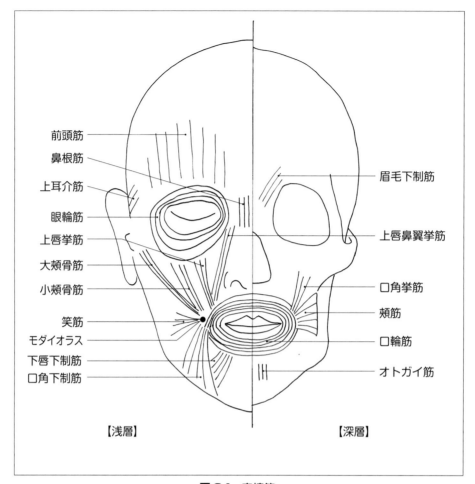

図 34 表情筋

表1 口裂周囲の表情筋

	筋 名	起始→停止	作 用
口裂上方	上唇鼻翼挙筋	上顎骨前頭突起 → 口輪筋内	上唇を上方へ引く
	上唇挙筋	眼窩下縁 → 口輪筋内	上唇を上方へ引く
	小頬骨筋	頬 骨 → 口輪筋内	上唇を上方へ引く
	大頬骨筋	頬骨弓 → 口 角	口角を後上方へ引く
	口角挙筋	上顎骨犬歯窩 → 口 角	口角を上方へ引く
口裂下方	口角下制筋	下顎骨下縁 → 口 角	口角を後下方へ引く
	下唇下制筋	下顎骨外側面 → 下 唇	下唇を下方へ引く
	オトガイ筋	下顎前歯部歯槽隆起 → オトガイ部	下唇を突き出す
	オトガイ横筋	両側の口角下制筋がオトガイ下でつながったもの	オトガイ唇溝の形成
口裂側方	笑 筋	頬部皮膚，咬筋筋膜 → 口 角	口角を外側方へ引く えくぼをつくる
両唇に共通	口輪筋	口裂を輪状に取り巻く	口裂を閉じる 口を尖らせる
	頬 筋	翼突下顎縫線，上下顎大臼歯部歯槽隆起，下顎骨頬筋稜 → 口角から口輪筋	頬を歯列に押しつける 口腔への吸引 口腔からの吹出し

※モダイオラス（**口角結節**）：口角よりも外方にある．

3）耳介周囲の筋 —— 上耳介筋，前耳介筋，後耳介筋
4）眼裂周囲の筋 —— 眼輪筋，眉毛下制筋，皺眉筋，鼻根筋
5）鼻部の筋 —— 鼻筋，鼻中隔下制筋

2．咀嚼筋（深頭筋）：下顎骨の運動に関与する筋（図35）

起始 —— 下顎骨以外の頭蓋の骨
停止 —— 下顎骨
作用 —— 下顎の運動，いわゆる咀嚼運動
支配神経 —— 三叉神経の第3枝（下顎神経）

1）咬筋
起始 —— 浅部：頰骨弓　前2/3，深部：頰骨弓　後2/3
停止 —— 浅部：咬筋粗面下方部，深部：咬筋粗面上方部
作用 —— 下顎骨の挙上，上下の歯をかみ合わせる，かみしめる

2）側頭筋
起始 —— 側頭骨鱗部外側面，側頭筋膜
停止 —— 筋突起
作用 —— 下顎骨の挙上，上下の歯をかみ合わせる，かみしめる
　　　　後部のみが作用すると下顎骨を後上方に引く

3）外側翼突筋
起始 —— 上頭：側頭下稜，下頭：蝶形骨翼状突起の外側板外面
停止 —— 上頭：関節円板，下頭：翼突筋窩
作用 —— 下顎頭を前方に引く．片側が作用すれば下顎骨を回旋．両側が作用すれば下顎骨を前方に引く．

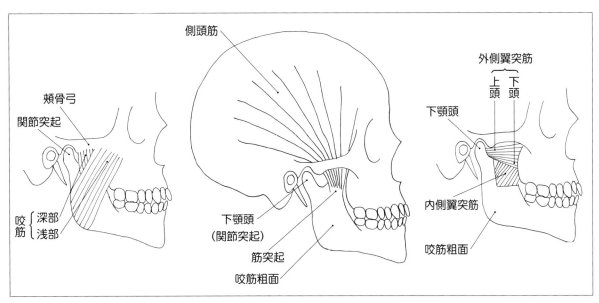

図35　咀嚼筋

4）内側翼突筋

起始 ── 蝶形骨翼状突起翼突窩，翼状突起外側板，上顎骨の後面

停止 ── 翼突筋粗面

作用 ── 下顎骨の挙上，上下の歯をかみ合わせる，かみしめる

Ⅳ．頸 部 の 筋

1．浅頸筋

広頸筋：前頸部から側頭部の皮膚直下にある皮筋．

2．外側頸筋

胸鎖乳突筋：頸部における最大の筋（**図 36**）．

起始 ── 胸骨・鎖骨

停止 ── 側頭骨の乳様突起

作用 ── 両側が収縮するとオトガイを上げる（首をすくめ，顎を突出す）
　　　　片側が収縮すると頭を反対側へ回す

支配神経 ── 副神経および頸神経

3．前頸筋

舌骨を境界として，舌骨よりも上方にある筋（舌骨上筋）と下方にある筋（舌骨下筋）の2筋群に分ける．筋により支配神経が異なる．

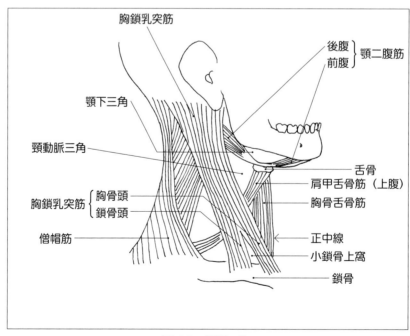

図36 頸部の筋

舌骨上筋と舌骨下筋が協力して作用するとき，舌骨下筋は舌骨を固定し，舌骨上筋が下顎骨を引き下げ，開口となる．

1）舌骨上筋

下顎骨や頭蓋底と舌骨との間にある筋．そのほとんどが口底（口腔底）の構成に関与する（**表2**，**図37**）．

2）舌骨下筋

舌骨下方で，両側の胸鎖乳突筋の間に存在する．支配神経はすべて頸神経（**表3**，図37）．

表2　舌骨上筋

筋　名	起始　→　停止	支配神経	作　用
顎二腹筋	［後腹］：側頭骨乳突切痕　→　舌骨小角 ［前腹］：舌骨小角　→　下顎骨二腹筋窩	顔面神経 下顎神経	前腹と後腹が働いて，舌骨を上方に引く
顎舌骨筋	下顎骨顎舌骨筋線　→　舌骨体	下顎神経	舌骨を前上方に引く
茎突舌骨筋	側頭骨茎状突起　→　舌骨大角	顔面神経	舌骨を後上方に引く
オトガイ舌骨筋	下顎骨オトガイ舌骨筋棘　→　舌骨	舌下神経	舌骨を前上方に引く

表3　舌骨下筋

筋　名	起始　→　停止	作　用
胸骨舌骨筋	胸骨　→　舌骨	舌骨を下方にを引く
肩甲舌骨筋	肩甲骨　→　舌骨	舌骨を下方に引く
胸骨甲状筋	胸骨　→　甲状軟骨	甲状軟骨を下方に引く
甲状舌骨筋	甲状軟骨　→　舌骨	舌骨を下方に引く 舌骨を固定すれば甲状軟骨を上方に引く

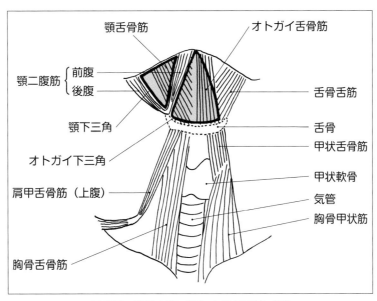

図37　舌骨上筋（群）と舌骨下筋（群）

4．後頸筋

1）椎前筋
頸長筋，頭長筋，前頭直筋，外側頭直筋

2）斜角筋
前斜角筋，中斜角筋，後斜角筋

5．前頸部の筋間隙

1）顎下三角（図 37）
下顎底，顎二腹筋前腹，顎二腹筋後腹で構成．顎下腺，顎下リンパ節があり，顔面動脈，顔面静脈が通る．

2）オトガイ下三角（図 37）
両側の顎二腹筋前腹と舌骨で構成．オトガイ下リンパ節がある．

3）頸動脈三角（図 36）
顎二腹筋後腹，肩甲舌骨筋上腹，胸鎖乳突筋で構成．総頸動脈，内頸静脈，迷走神経が通る．

第4章　消化器系

I. 基礎知識

　体壁で固まれた身体の中の腔（胸腔や腹腔）の中に収納されている臓器（器官）を内臓という．ことわざで「五臓六腑に沁みわたる」といわれるが，五臓六腑というのは東洋医学の考え方で，五臓（心臓・肺臓・肝臓・腎臓・脾臓）と六腑（胃・小腸・大腸・膀胱・胆嚢・三焦）を意味している．例えば，消化器系，呼吸器系，泌尿器系，生殖器系，内分泌腺が内臓とよばれている．
　臓器は，形態的に**中空性臓器**と**実質性臓器**に分けられる．

1．中空性臓器（図38）

　胃や小腸のような中が空いた管状の器官のことである．例えば，消化管の消化管壁は共通した構造をもっており，内腔から外周に向かって**粘膜**（粘膜上皮，粘膜固有層，粘膜筋板），**粘膜下組織**，**筋層**，**漿膜**または**外膜**に区別できる．

1）粘　膜
　中腔性臓器の内面を覆う軟らかい膜で，内表面は常に分泌物で湿潤している．
　①粘膜上皮 ── 臓器の内面を覆う上皮である．
　②膜固有層 ── 密な疎線維性結合組織で細かい血管や神経に富む．
　③粘膜筋板 ── 平滑筋によって構成される薄い層で，粘膜の細かな運動や腸絨毛の伸縮運動に関与する．

2）粘膜下組織
　粘膜と筋層を結合する疎線維性結合組織で，血管や神経の通路となる．

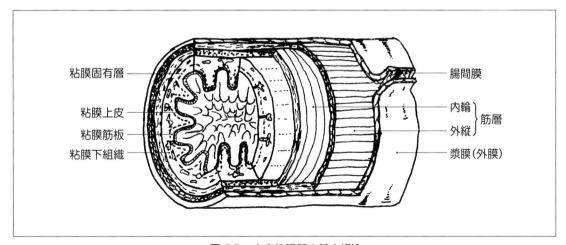

図38　中空性臓器の基本構造

3）筋　層

一般的には平滑筋で構成されているが，ある部分では骨格横紋筋でも構成される．通常，2層あるいは3層構造をなす．内層の筋は輪走，外層の筋は縦走なので，「内輪外縦」とも呼ばれる．

4）漿膜または外膜

臓器の最外層は腹膜腔あるいは胸膜腔に面し，表面は単層扁平細胞（中皮）によって覆われ，滑らかで光沢のある自由表面となる．これを漿膜といい，腹腔なら腹膜，胸腔にあれば胸膜という．漿膜と外膜の違いは，漿膜は中皮で覆われて体腔（空洞）に面するのに対し，外膜は疎性結合組織で周囲と接着する．

2．実質性臓器

実質性臓器とは，臓器（器官）全体が固有の細胞で充実・集合している独立した臓器のことである．消化器系では，肝臓，膵臓，唾液腺等がこれにあたる．表面は，薄い被膜で覆われ，その被膜から結合組織が臓器内部に侵入し，葉間結合組織として実質を葉に分け，さらに葉を細かく小葉間結合組織として実質を小葉に分ける．被膜の外表は，漿膜または外膜によって覆われる．

Ⅱ．消 化 管

消化器は，身体に栄養を補給するための器官で，摂取した食物を身体が吸収できる状態にまで消化分解し，分解したものを吸収して脈管に送り込み，残った残渣（かす）を排泄する器官である．消化器系では食物の通過する消化管が中空性臓器である．

消化管は食物が通る順に，**口腔**，**咽頭**，**食道**，**胃**，**小腸**（十二指腸，空腸，回腸），**大腸**（盲腸，結腸，直腸），**肛門**である（**図39**，**表4**）．

1．口腔の構成

口腔は消化管の入口で，食物の摂取，咀嚼による物理的消化，唾液による化学的消化が行われる．その後，食塊を口峡から咽頭に送る．口腔には舌という味覚器があり，発音や呼吸を補助する働きもある（**図40，41**）．

1）口腔壁の構成

①前　壁 ── 口　**唇**：上唇と下唇，その間を口裂という．
②後　方 ── 口　**峡**：咽頭と通じる．口腔と咽頭の境でもある．
③上　壁 ── 口　**蓋**：硬口蓋と軟口蓋で構成される．
④下　壁 ── 口　**底**：主に顎舌骨筋と舌で構成され，骨でできていない．口腔底とも呼ばれる．
⑤側　壁 ── **頬**

口腔は上記の壁で固まれた空間である．U字状に並んだ上顎と下顎の歯（上下の歯列弓）によって，口腔前庭と固有口腔に二分される．

（1）口腔前庭

外周を口唇～頬，内方を上下の歯列弓によって取り囲まれた狭いU字型の空隙で，口裂によって外界と通じる．

(2) 固有口腔

上下の歯列弓より内方にある広い空間で，上壁は口蓋，下壁は口底で，後方は口峡により咽頭に通じる．「固有」とは「本来，元々」という意味である．

2）口腔粘膜の特徴

粘膜上皮は重層扁平上皮でできており，粘膜上皮層内に背の高い固有層乳頭を形成する．口腔粘膜は，粘膜筋板が欠如するのが特徴である．粘膜下組織には，それぞれの壁に小唾液腺がある．筋層はほぼ骨格横紋筋でできているが，上壁にあたる硬口蓋は骨でできている．周囲組織へ移行するため，外膜または漿膜は存在しない．

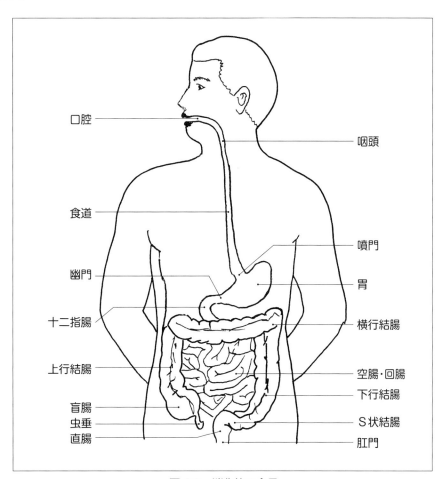

図39 消化管の全景

表4 消化管各部の構造

	口腔	咽頭	食道	胃	小腸・大腸	直腸
粘膜上皮	重層扁平上皮			単層円柱上皮		重層扁平上皮
粘膜固有層	密な疎線維性結合組織					
粘膜筋板	なし	弾性境界層	平滑筋			
粘膜下組織	疎な疎線維性結合組織					
筋層	横紋筋			平滑筋		
漿膜または外膜	なし	外膜	外膜	漿膜	漿膜	外膜

部位と機能によって，以下のように分類される．

①**特殊粘膜**——舌背を覆う粘膜で，種々の舌乳頭があり，特殊感覚である味覚の感覚上皮でもある．

②**咀嚼粘膜**——硬口蓋と歯肉の粘膜で，粘膜下組織がほとんどなく，不動性で丈夫なため，咀嚼にも利用される．

③**裏装粘膜**——上記①，②以外の口底を覆う粘膜で，可動性，腺要素に富んでいる．口唇，頰，軟口蓋などがこれにあたる．

3）口　唇

口唇〔カラーグラフ1〜3〕は，**上唇**と**下唇**の間に**口裂**がある．口裂の両外側端を口角といい，その外側方で上唇と下唇が交わる部分を**唇交連**という．上唇と頰との境界を鼻唇溝，下唇とオトガイとの境界をオトガイ唇溝という．上唇の正中には鼻中隔から下方につづく広く浅い溝，すなわち**人中**があり，その下端の上唇縁ではM字状に隆起する**上唇結節**がある．口唇は，①**皮膚側**，②**赤唇**，③**粘膜側**の3部に分けられる．

①**皮膚側**——皮膚は表皮，真皮，皮下組織からなる．表皮は重層扁平上皮で，角質層，淡明層，顆粒層，有棘（中間）層，基底（胚芽）層の5層構造である．真皮は密な疎線維性結合組織，皮下組織は疎線維性結合組織でできている．表層には毛孔が多数空いている．脂腺，汗腺もある．

②**赤唇（唇縁，紅唇，朱唇）**——皮膚から粘膜への移行部を赤唇という．厚い重層扁平上皮，乳頭はとくに高く，その先端部では上皮が薄いために，固有層乳頭の背が高く，粘膜上皮を透かし，固有層乳頭の頂上で赤血球の血行が観察できる．口唇の赤唇を見て血液循環障害，ひいては全身の健康状態の診断に役立てることができる．最深層の上皮細胞はメラニンを含まない．

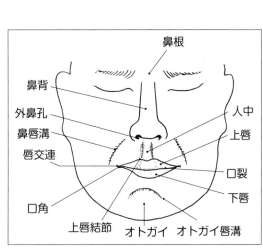

図40　口と鼻およびその付近

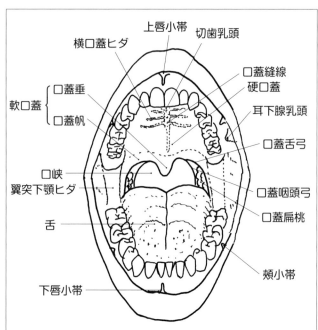

図41　口　腔

③粘膜側 —— 粘膜側は口腔前庭の粘膜で翻転して歯肉に続く．口腔前庭正中部には矢状方向のヒダが上下にあり，それぞれ上唇小帯および下唇小帯という．小帯は可動性に富むため，義歯の外形線を小帯上に設定すると，義歯は動いて外れやすくなり，小帯も傷ついて痛むので，義歯製作時には注意を要する．粘膜下組織には口唇腺（混合腺）がある．

口唇の基盤をつくるのは口輪筋である（第3章 筋系を参照）．

4）頰

口腔の外側壁である頬は，口唇と同じく外面は皮膚，内面は頬粘膜で口唇粘膜からつづいている．皮下組織には脂肪組織が多く，基盤は頬筋である．筋の表層を後方へたどると，下顎枝の内面で**翼突下顎隙**につづく．

粘膜上皮は重層扁平上皮で，頬の後端では垂直に走る**翼突下顎ヒダ**を作る．粘膜下組織には，頬腺（混合腺）がある．

また，頬粘膜の上顎第二大臼歯の歯冠の高さの対向点には，**耳下腺乳頭**という小隆起がある．**耳下腺管は頬筋を貫いて**この乳頭から口腔前庭に開口している．したがって，対向する上顎大臼歯の歯冠頬側面には歯石沈着がみられることが多い．

5）口 蓋

口蓋（**図41**）は，口腔の上壁であり，鼻腔の下壁にあたる．鼻腔方向に軽くドーム状に高まっているが，この高さは個人によって異なる．

①**硬口蓋** —— 口蓋の前2/3は，基盤は骨（上顎骨の口蓋突起と口蓋骨の水平板）でできている．粘膜上皮は，重層扁平上皮である．

②**軟口蓋** —— 口蓋の後1/3は，基盤は筋（**口蓋筋**（**表5**）という．骨格横紋筋）でできている．粘膜上皮は，口腔面は重層扁平上皮だが，鼻腔面は偽重層上皮（多列線毛上皮）である．

(1) 口蓋粘膜の構造

①**口蓋縫線** —— 骨口蓋の正中口蓋縫合に一致し，前後に走る粘膜ヒダで，後方は不明瞭である．正中に骨の隆起である口蓋隆起を，また，後方の両側に口蓋小窩が観察できる．

②**切歯乳頭** —— 口蓋縫線の前端にある隆起で，深くは切歯孔（切歯窩）に相当する．切歯管を通る中隔後鼻動・静脈と鼻口蓋神経は切歯孔から口蓋に現れ，これを基点に前歯部を結ぶ扇状の口蓋粘膜に分布する．

③**横口蓋ヒダ** —— 切歯乳頭から硬口蓋の前半にかけて横に走る数本の粘膜ヒダのことである．本来，食物摂取時の滑り止めの役割を果たす．ヒト以外の哺乳動物では特に顕著で，ヒトでは小児で著明である．

表5 軟口蓋の筋（口蓋筋）

筋 名	作 用	支配神経
口蓋帆張筋	口蓋帆を緊張させ，耳管咽頭口を開く．	下顎神経
口蓋帆挙筋	口蓋帆を挙上する．	舌咽神経 迷走神経
口蓋垂筋	口蓋垂を短くする．	
口蓋咽頭筋	口峡を狭くし，口蓋咽頭弓をつくる．	
口蓋舌筋	口峡を狭くし，口蓋舌弓をつくる．	

④**口蓋帆** —— 軟口蓋の後方1/2の部分で，上下の可動範囲が大きい部分である．食物を嚥下するとき，口蓋帆は上方に上がり後鼻孔を閉ざすことにより，食物の鼻腔への流入を防ぐ．

⑤**口蓋垂** —— 口蓋帆の正中部の後方に突出した部分で，口蓋帆とともに後鼻孔を完全に閉じさせる．基盤となる筋は，口蓋垂筋である．

　口蓋の粘膜上皮は重層扁平上皮で，薄く角化している．粘膜固有層は，硬口蓋では密で固有層乳頭は細かいが，軟口蓋では固有層乳頭は不規則で低い．粘膜下組織は，硬口蓋ではほとんどなく，骨膜にすぐ移行するので可動性はない．口蓋腺は粘液腺で，硬口蓋の後方から軟口蓋にみられる．

　また，硬口蓋の不動部と軟口蓋の可動部の境界線を，アーライン（Ah-line）という．総義歯の後縁設定に利用される重要な場所である．

(2) 口蓋の脈管系

　口蓋に分布する動脈は，硬口蓋には大口蓋動脈（大口蓋孔から），軟口蓋には小口蓋動脈（小口蓋孔）が分布する．また，軟口蓋には上行口蓋動脈や上行咽頭動脈も分布する．

6) 舌

　舌（**図42，43**）は，骨格横紋筋が舌粘膜で包まれた筋性器官で，口底の舌下部に乗る．一般に長さ約7cm，幅4cm，厚さ2cmほどであるが，運動性に富み，形態的に大きく変化する．その役割は，咀嚼と嚥下，発音，味覚の受容である．

(1) 舌の区分

①舌　背 —— 舌の上面で，舌乳頭が存在する．

②舌　尖 —— 舌の先端部．

③舌　体 —— 舌の先端から舌分界溝まで．

④舌正中溝 —— 舌背正中にある浅い溝．

⑤**舌分界溝** —— 逆V字型の溝で舌体と舌根を分ける．その溝前に沿って有郭乳頭が存在する．

⑥舌盲孔 —— 舌分界溝と舌正中溝の交点で，甲状腺の発生の由来でもある．

⑦舌下面 —— 口腔粘膜に相対する面で，舌乳頭がなく軟らかい．

⑧**舌小帯** —— 舌下面正中にある粘膜ヒダ．

⑨**舌下小丘** —— 舌下面の舌小帯の両側にみられる．顎下腺管と大舌下腺管が開口する．下顎切歯の舌側面に歯石の沈着を認めることが多い．

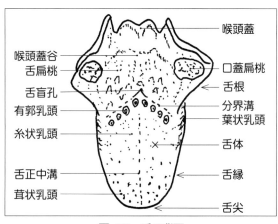

図42　舌の背面

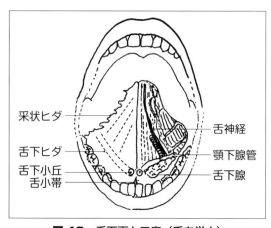

図43　舌下面と口底（舌を挙上）

⑩舌下ヒダ —— 舌下面と口底粘膜の境界で，舌下小丘の外側，粘膜下には小舌下腺を入れ，多数の分泌導管が開く．

⑪采状ヒダ —— 舌下面で舌根から舌尖に向かう鋸状のヒダ．

⑫舌　根 —— 舌分界溝から舌の後端まで．舌乳頭は存在しない．咽頭と相対するため，舌を引っぱり出さないと直視できない．舌根には舌扁桃があり，さらに後下方の喉頭蓋との間には正中および外側舌喉頭蓋ヒダがあり，喉頭蓋とは深い陥凹（喉頭蓋谷）をつくる．

（2）舌粘膜の構造

①粘膜上皮 —— 重層扁平上皮で，舌背では角化（糸状乳頭）したものは白くみえる（舌苔）．舌乳頭の上皮層内には蕾状の感覚器である**味蕾**〔カラーグラフ④〕があり，味孔が表面に開いている．この孔に味細胞の先端があり，これに味のある物質の水溶液が接触すると味覚が生じる．

②粘膜固有層 —— 本来の固有層乳頭が大きくなり，上皮の中に突出して舌乳頭を形成する．舌乳頭には，**糸状乳頭，茸状乳頭，葉状乳頭，有郭乳頭**がある（**表6**，**図44**，カラーグラフ⑤⑥）．各乳頭には二次乳頭がみられ，糸状乳頭以外が味蕾を有する．漿液腺である**エブネル腺**（味腺，洗腺ともいう）は，味覚を補助している．

③粘膜下組織 —— 舌背ではほとんどなく，粘膜固有層のすぐ下に線維性結合組織がつく．これを舌腱膜という．また，これに舌筋が停止するので，舌背粘膜は可動性がない．

（3）舌筋（図45，表7）

舌の位置を変える**外舌筋**と舌の形状を変える**内舌筋**の2種類がある．舌の運動神経は，舌下神経である．

（4）舌の脈管

舌に分布する脈管は非常に豊富で，外頸動脈の分枝である舌動脈，また，その枝である舌深動脈が舌尖まで分布する．舌の正中にある舌中隔により，左右の脈管は左右交通しないとされている．

（5）舌の神経

舌に分布する表面感覚・味覚・運動神経は一様ではない（**表8**）．

舌神経は，はじめ顎下腺管の外側を前走し，その下を内側方へ交叉して舌に入る．舌下神経と舌動脈は舌神経の下内側方を通る．

7）口底（口腔底）

前方と側方は下顎骨と下歯列弓，後方を舌で固まれた口腔粘膜部分で，舌下部（舌下三角）ともいう．固有口腔の下壁をなし，下顎骨と舌骨との間を走る筋（顎舌骨筋など）によって構成される．顎舌骨筋によって，舌下部（粘膜側）と顎下部（皮膚側）に分けられる．顎舌骨筋は，左右の両筋は，全体として平たい三角形となり，口腔底を作り，舌を乗せているので口腔隔膜とも呼ばれる．

表6　舌乳頭の種類

乳頭の種類	所　在	形　態	上皮角化	味蕾
糸状乳頭	舌背全面	鋸歯状で上皮は角化し，白くみえる	○	×
茸状乳頭	舌背に散在，舌尖に多い	きのこ状，非角化上皮で赤くみえる	×	○
有郭乳頭	舌分界溝の直前に，7〜8個が逆V字状に並ぶ	周囲に溝をもつ，丸い台状	×	○
葉状乳頭	舌縁の後部	皺状に複数の乳頭が並ぶ	×	○

8）唾液腺（口腔腺）

唾液腺には，口腔粘膜内部にある小唾液腺（口唇腺，頬腺など）と，独立している大唾液腺（耳下腺，顎下腺，舌下腺）がある．

（1）小唾液腺

① 口唇腺 —— 混合腺．

② 頬　腺 —— 混合腺．

③ 臼歯腺 —— 混合腺．頬粘膜後方にあり，耳下腺乳頭付近に開口．

④ 口蓋腺 —— 粘液腺．硬口蓋後方から軟口蓋にある．

⑤ 舌　腺 —— 舌の粘膜下組織内にある（**表9**）．

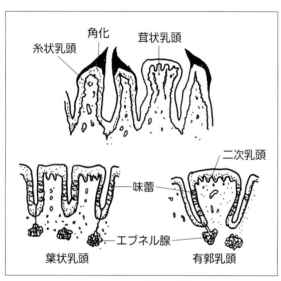

図44 舌乳頭の種類

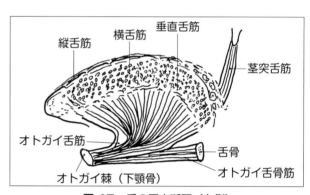

図45 舌の正中断面（右側）

表7 舌の筋

	筋　名	作　用	支配神経
内舌筋 （舌の形を変える）	縦舌筋（上・下）	長さを短くする．	舌下神経
	横舌筋	幅を狭くする．	
	垂直舌筋	厚みを薄くする．	
外舌筋 （舌の位置を変える）	茎突舌筋	舌を後上方に動かす．	
	オトガイ舌筋	舌を前方に動かす．	
	舌骨舌筋	舌を後下方に動かす．	

表8 舌の支配神経

	舌の前2/3	舌の後1/3
運　動	舌下神経	
表面感覚	舌神経	舌咽・迷走神経
味　覚	鼓索神経	舌咽（迷走）神経

(2) 大唾液腺（三大唾液腺）（図46）

①耳下腺〔カラーグラフ[7][8]〕

逆三角形状で扁平な，人体で最大の唾液腺である．その位置は外耳の前下方で，上縁は頰骨弓，下縁は下顎角，前縁は咬筋後縁より前方，後縁は胸鎖乳突筋の前縁，深さは下顎後窩に入り顎関節に接する．

導管は耳下腺管（ステノン管）といい，腺の前縁上部から前方へ，頰骨弓の下方約1cmのところをこれと平行に前走し，咬筋前縁で内側に曲がり頰筋を貫き，上顎第二大臼歯歯冠の高さに対向した頰粘膜にある耳下腺乳頭から口腔前庭に開口する．歯科治療に際しては，この部分に綿花を置き簡易防湿する．

耳下腺は，浅部と深部に分けられる．腺体内には顔面神経の耳下腺神経叢が存在する．この神経叢は表情筋の支配を司るのであって，耳下腺の分泌神経は舌咽神経である．

小葉間組織には多くの脂肪細胞をみる．腺は複合胞状腺の純漿液腺で，腺腔は細い介在部，ついで線条部，さらに太い分泌導管へと連なる．線条部をつくる細胞の基底には，縦の線状構造を認める．

②顎下腺〔カラーグラフ[9]〕

耳下腺についで大きな楕円体状の唾液腺である．下顎骨内面の顎下腺窩に接し，顎舌骨筋の皮膚側で，顎下三角内に位置する．顎下腺管（ワルトン管）は腺後端から出て，顎舌骨筋の後縁を回って顎舌骨筋の上側に出て，大舌下腺の内側を前内側方に走り，舌神経の上を横切って舌下小丘，つまり固有口腔（口底）に開口する．歯科治療に際しては，この部に綿花を置き簡易防湿する．

顎下腺は，複合管状胞状腺の混合腺であるが，大部分が漿液腺で，一部に粘液腺が混合している．漿液腺の部分では介在部，線条部とよく発達しているが，混合腺（漿粘液腺）の部分では介在部を欠き，また漿液半月が観察される．

③舌下腺〔カラーグラフ[10][11]〕

口底の粘膜下（舌下ヒダ）内にみられ，大舌下腺と小舌下腺とがある．大舌下腺は顎舌骨筋の粘膜側で，下顎骨内側面の舌下腺窩に接し，顎下腺管の外側に位置する．導管は顎下腺管と合流した後，あるいは顎下腺管とともに舌下小丘に開口する．

小舌下腺は，多数の小塊で，それぞれから多数の小舌下腺管が直接舌下ヒダに開口する．舌下腺は粘液細胞の多い混合腺（漿粘液腺）で，形態は複合管状胞状腺である．

9）口　峡

口峡は口腔と咽頭の境界で，上壁をなす口蓋帆の中央には口蓋垂がある．上壁の両外側端は下外側方に向かう前後2つの粘膜ヒダが二重のアーチをつくる．前方のものを口蓋舌弓，後方のものを口蓋咽頭弓という．口蓋舌弓の中には口蓋舌筋を入れ，その下端は舌縁後端に至る．口蓋咽頭弓の中には口蓋咽頭筋を入れ，その下端は咽頭側壁に至る．

表9　舌腺の種類，所在，開口部位

名　称	性　質	所　在	開口部位
前舌腺	混合腺	舌尖	舌小帯の両側
後舌腺	粘液腺	舌縁後部，舌根	舌背後方
エブネル腺	漿液腺	葉状・有郭乳頭	乳頭間や溝の底

①口蓋扁桃〔カラーグラフ12 13〕——口蓋舌弓と口蓋咽頭弓の間を扁桃窩といい，口蓋扁桃が位置する．扁桃とは「アーモンド」の意味で，軽く隆起し，粘膜上皮には扁桃小窩がみられ，上皮が深くつづき陰窩をつくる．その周辺には多数のリンパ小節が集合している（**図47**）が，リンパ管は認められない．

リンパ球は粘膜上皮を貫いて口腔内に出て，唾液小体として唾液に混ざる．陰窩のなかには細菌が潜在していて，全身の抵抗力が減退したとき等，細菌感染などにより口峡炎や扁桃炎を起こし，全身感染を誘発する病巣感染ともなる．口蓋扁桃は思春期まで発育し，その後，加齢的に退縮する．

2．咽頭

咽頭（**図48**）は口腔と食道の間で，かつ鼻腔と喉頭の間にある管で，その内腔を咽頭腔という．口腔から直角に垂直に下行する．また咽頭は，鼻腔→咽頭→喉頭という気道（空気の通路）と，口腔→咽頭→食道という食物の通路が通じる交叉点でもある．咽頭上端は外頭蓋底（後頭骨下面）で，後壁は第1～第6頸椎に接する．咽頭腔は下記の①～③に分かれる．

①**鼻部（上咽頭）**——後鼻孔を経て鼻腔に続き，外頭蓋底に接する咽頭円蓋からほぼ軟口蓋後縁の高さまでをいう．外壁に耳管咽頭口があり，耳管を通って中耳（鼓室）に至る．耳管咽頭口の周囲には耳管扁桃がある．

後上壁には無対の咽頭扁桃がある．この扁桃が肥大化して後鼻孔を塞ぐと鼻呼吸が困難となり，これをアデノイドといい上顎前突の原因にもなる．咽頭の入口には咽頭扁桃，舌扁桃，口蓋扁桃が取り巻くように輪状に並んでおり，これを**ワルダイエルの咽頭輪**という．

②**口部（中咽頭）**——口峡からほぼ舌根部までで，気道と食物の通路が交叉する部分である．

③**喉頭部（下咽頭）**——舌根から食道方向へ，喉頭の輪状軟骨の高さまでをいう．前方に喉頭口がある．第6頸椎の高さで食道となる．

[組織学的構造]

咽頭の粘膜上皮は，鼻部では偽重層（多列線毛）上皮，口部と喉頭部は重層扁平上皮である．粘膜筋板を欠き，粘膜固有層と粘膜下組織との間に多くの弾性線維を含む弾性境界層がある．粘膜下組織は薄く，粘膜固有層と粘膜下組織内には咽頭腺（粘液腺）と混合腺が存在する．

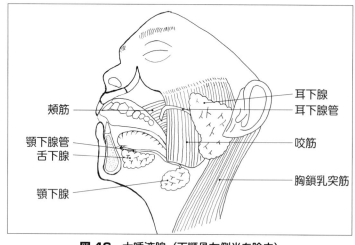

図46 大唾液腺（下顎骨左側半を除去）

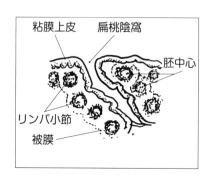

図47 口蓋扁桃の組織構造

咽頭筋には咽頭挙筋（縦走）と咽頭収縮筋（輪走）があり，舌咽・迷走神経の支配を受ける．収縮筋は，咽頭後壁の正中で咽頭縫線を形成し，前方は頬筋と接して**翼突下顎縫線**を形成する．咽頭の外膜は前上方へ頬咽頭膜に続き，後壁は椎前筋膜との間に椎前隙を形成する．この隙は，食道そして心臓の後ろ（縦隔隙）を下行する．

3．食　道

　食道は，咽頭と胃の間にある長さ約25cmの管で，第6頸椎の高さで咽頭から移行して気管の後ろを下行し，胸郭の縦隔の中，心臓の後ろを通過し，横隔膜の食道裂孔を貫き，第11胸椎の高さで胃（噴門）に至る．食道は起始部，気管分岐部，横隔膜食道裂孔部の3カ所に狭窄部があり，食道癌の好発部といわれる．

［組織学的構造］

　粘膜上皮は重層扁平上皮である．粘膜筋板はよく発達していて，粘膜に縦方向に多数のヒダを形成し，食物が通過するときにひろがる．粘膜下組織には食道腺（粘液腺）がある．筋層は，上部は横紋筋，下部では平滑筋で，内輪外縦の二層である．外膜は疎線維性結合組織で，食道を隣接の臓器とともに脊柱に接着している．

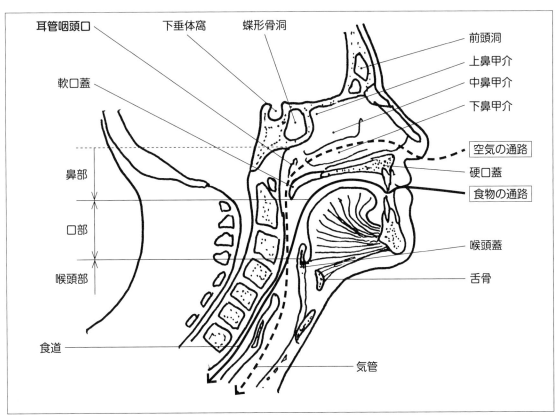

図48　鼻腔，口腔，咽頭，喉頭の矢状断面

4．胃

胃は左上腹部を占める大きな袋状の器官で，腹腔内にて第11胸椎の左側で食道から続く．正中線の左方に位置し，第1腰椎の右側で十二指腸に続く．胃の外形はアルファベットの「J」型に近く，食物の量や機能に応じて変化する．入口は噴門，出口は幽門といい，十二指腸に連なる．左方から下方への大きな彎曲を大彎といい，右方の彎曲を小彎という．横隔膜に接する部分を胃底，他の部分を胃体という．胃の内面には長軸方向に走る多数の胃粘膜ヒダがみられる．胃潰瘍や胃癌に罹患すると，早期でもヒダに乱れがみられることがある．

[組織学的構造]

1つの胃粘膜ヒダは多角形の小区画に分かれ，さらにその中に多数の胃小窩があり，ここへ固有胃腺（単一管状腺）が開口する．粘膜上皮はその表面が粘液化した単層円柱上皮であり，食道の重層扁平上皮から組織構造が突然変わることになる．このような部位は癌の好発部位といわれている．

腺細胞は主細胞（ペプシンを分泌），頸粘液細胞（副細胞─粘液を分泌），壁細胞（傍細胞─塩酸を分泌）からなる．そのほか，噴門腺（粘液腺）や幽門腺（アルカリ性粘液とガストリンを分泌）がある．筋層は内斜，中輪，外縦の3層の平滑筋からなり，幽門では中輪層が発達して幽門括約筋をつくる．胃の外表面は腹膜（胃間膜）で覆われ，小彎は小網に，大彎は大網にそれぞれ続いている．

5．小腸

胃の幽門からの続きで，盲腸に入るまでの長さ約7mの管である．本来の食物の消化と吸収は小腸で行われる．十二指腸，空腸，回腸に区分される．

1）十二指腸（図49）

小腸の始まりで，アルファベットの「C」字状を呈する．後腹壁に付着し，Cの間に膵臓が位置する．長さは約30cmで，ほぼ12横指の長さにあたるのでこの名称がつけられている．

① 上　部 ── 第1腰椎の高さで右方へ曲がる．
② 下行部 ── 脊柱の右側を下行する．上部とともに，十二指腸潰瘍の好発部位である．内面の後壁に十二指腸縦ヒダがある．

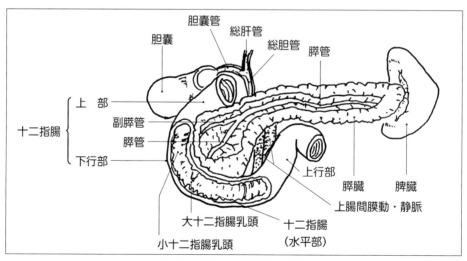

図49　膵臓，十二指腸，胆路

③**大十二指腸乳頭** —— ヒダの下端にあり，総胆管と主膵管が合流，または別々に開口する．別名は**ファーター乳頭**で，**オッディの括約筋**により分泌量を調節する．

④小十二指腸乳頭 —— 副膵管が開口する．

⑤水平部 —— 第3腰椎の前を左方へ曲がる．

⑥上行部 —— 水平部から左上方へ向かい，空腸へつづく．

２）空腸と回腸

十二指腸からつづく始まりの部分が空腸〔カラーグラフ14 15〕で，ついで回腸となるが，両者の境界は明瞭でない．空腸と回腸は腹腔内の大部分を満たし，後腹壁から伸展した腸間膜（長さ20cm）をもち，十二指腸（上の端）と盲腸の移行部（下の端）のみが固定されているに過ぎず，自由に動くことができる．回腸下端，つまり盲腸側の末端は回盲部といい，回盲口で盲腸に通じるが，ここは回盲弁（バウヒン弁）となって盲腸内に突き出している（**表10**）．通常，弁は閉じて大腸内容物の逆流を防いでおり，内容物が通過するときのみ開く．

［組織学的構造］（**表11**，**図50**，**51**）

(1) 粘　膜

①粘膜上皮 —— 単層円柱上皮で杯細胞（粘液の分泌）を含む．上皮の表面には光学顕微鏡では刷子縁がみられるが，これは電子顕微鏡レベルでは微絨毛という指状の多数の小突起である．

②粘膜固有層 —— 粘膜上皮内へ約1mm，無数に突出しており，これを腸絨毛という．これによって腸表面の総延長面積，つまり吸収面積を増大させ（小腸全体でテニスコート1枚分），吸収能力を大きくしている．中心リンパ管（中心乳ビ腔）という毛細リンパ管があり，吸収された脂肪を乳ビ槽に送る．絨毛と絨毛の間は腸陰窩といい腸腺（単一管状腺）が開口する．その腺底にはパネート細胞（消化酵素を分泌）や腸クロム親性細胞（セロトニンを分泌）がある．

③粘膜筋板 —— 平滑筋でできている．

(2) 粘膜下組織

孤立リンパ小節や集合リンパ小節（パイエル板）がある．

(3) 筋　層

平滑筋でできており，内輪層と外縦層がある．律動性運動（蠕動運動と振子運動）を行って食物を混和し，消化吸収を促進する．筋層内には筋層間神経叢，粘膜下神経叢が自律神経によってつくられる．

(4) 漿　膜

腹膜，つまり腸間膜の続きで，十二指腸では外膜によって腹腔後壁に結合している．

６．大　腸

大腸は，回腸に続いて右腸骨窩から腹腔の周辺を環状に走って肛門に達する部分で，小腸よりやや太く，盲腸，結腸，直腸の3部に分けられる．ここでは，小腸で消化吸収した食物の残渣から水分を吸収し，糞便を形成する．

１）盲　腸

回盲口より下方，約6cmの嚢状の腸で，結腸間膜を欠く．その左後壁から小指大（長さ約7cm）の虫垂がつく．虫垂は盲管状で，虫垂間膜によって後腹壁に付き，粘膜下組織にまで集合リンパ小節が発達し，生体防御の機能をもっている．

表10　空腸と回腸の肉眼的差異（両者は明瞭な境界なく移行）

	空　腸	回　腸
長さ（6〜7m）	2/5（2.4〜2.8m）	3/5（3.6〜4.2m）
太さ	太い（直径約4cm）	より細い（直径約3cm）
色調	赤味がかる（血管が多いため）	赤味が少ない
壁の厚さ	厚い	薄い
輪状ヒダ	多い，大きい	少ない，小さい
腸絨毛	多い，大きい（葉状〜柱状）（十二指腸では幅広い）	少ない（形も異なる）（乳頭〜棒状）
リンパ小節	少ない→次第に大きく	集合リンパ小節（パイエル板）がある
腸間膜	あり（脂肪は少なく透明度高い）	あり（脂肪多く，血管の走向不規則）
遺体での内腔	多くは空	若干の内容物
遺体での位置	だいたい腹腔の左上方	右下方

表11　腸粘膜の差異

	十二指腸	空　腸	回　腸	結　腸
ヒダの性状	高い輪状ヒダが重なり合う	規則的な輪状ヒダ	輪状ヒダ	結腸半月ヒダ，絨毛なし，杯細胞が多い

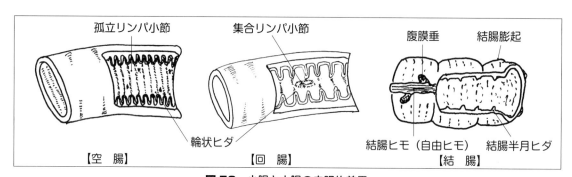

図50　小腸と大腸の肉眼的差異

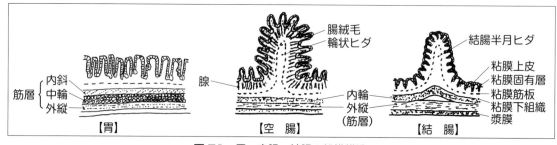

図51　胃，空腸，結腸の組織構造

2）結　腸

結腸は回盲口より上方の部分で，その走行により上行，横行，下行，S状の4部に区分される．上行結腸（結腸間膜なし）は後腹壁の右側にあり，右腎臓の前で右結腸曲をつくって横行結腸となる．横行結腸（結腸間膜あり）は十二指腸の前にあり，左腎臓の前で左結腸曲をつくって下行結腸となる．下行結腸（結腸間膜なし）は，後腹壁の左側にありS状結腸に移行する．S状結腸（結腸間膜あり）は，左腸骨窩にありS状に曲がり直腸となる．

[組織学的構造]

(1) 粘　膜
①粘膜上皮 ── 絨毛がない単層円柱上皮で，多数の杯細胞を含む．その分泌物によって糞便の表面をスムーズにする．腸腺はあるが，消化酵素の分泌はなく，水分を吸収するのみである．
②粘膜固有層 ── 絨毛がないので突出しない．
③粘膜筋板 ── 平滑筋である．

(2) 粘膜下組織
疎線維性結合組織でできている．

(3) 筋　層
平滑筋で内輪層と外縦層をみる．外縦層は3カ所で肥厚し，バンド状になる．これを結腸ヒモという．間膜ヒモ（横行結腸で間膜がつく），大網ヒモ（横行結腸で大網がつく），自由ヒモがある．結腸ヒモによって外面は結腸膨起という膨らみが，内面には結腸半月ヒダが形成される．自由ヒモには腹膜下脂肪組織が腹膜垂をつくる．

(4) 漿膜（または外膜）
盲腸，上行結腸，下行結腸は外膜で後腹壁に固定され，その他の部分は腹膜で覆われている．

3）直腸と肛門
直腸と結腸の境界は不明瞭である．腸間膜，結腸ヒモ，結腸膨起，腹膜垂などは消失して，ほぼ第3仙椎の前で直腸に移行する．直腸は男性では膀胱の後ろ，女性では子宮と膣の後ろを下行し，骨盤隔膜を貫いて肛門に達する．女性の直腸と子宮の間は直腸子宮窩（ダグラス窩）という．直腸の長さは約20cmで，以下のように分けられる．
①直腸膨大部 ── 結腸半月ヒダにあたる直腸横ヒダがある．内容物を貯留する．
②肛門管 ── 肛門から上方約4cmの部分で，下端では内肛門括約筋（平滑筋）が輪状に隆起（痔帯または痔輪）し，さらに外肛門括約筋（骨格筋）がある．肛門では粘膜下組織に静脈叢が発達しており，うっ血を起こすと痔の原因となる．粘膜上皮は重層扁平上皮で，肛門腺がある．

III．肝臓と胆嚢

1）肝　臓
肝臓（**図52**）は右上腹部に位置し，横隔膜直下にある．胆汁を分泌することから，人体最大の腺（重さ：約1〜1.5kg）といえる．厚くて大きな右葉と，薄くて小さな左葉からなり，その境界に肝鎌状間膜がある．

上面は横隔面といい，横隔膜下面に接して丸みがあり平滑である．下面は臓側面といい，凹んでいるが

多くの臓器（胃・十二指腸・右腎臓・横行結腸）と接し，右葉の下面にはH字状の溝によって方形葉と尾状葉に分けられる．

　ヒトの肝臓は4葉で構成される．H字溝の構成をみると，左縦溝は右葉と左葉の境界で，前には肝鎌状間膜と肝円索の通る肝円索裂，後ろには静脈管索が通る静脈管索裂をみる．右縦溝には下大静脈（後ろ）と胆囊（前）がある．横溝は肝門といい，門脈，固有肝動脈，総肝管，リンパ管，神経が出入りしている．門脈は肝臓の機能血管で，固有肝動脈は栄養血管である．肝臓表面には腹膜が密着しているが，後部は直接結合組織によって横隔膜と結合・固定されている．

[組織学的構造]

　肝臓は，胆汁を分泌する複合管状腺で，小葉間結合組織（グリソン鞘）で囲まれた肝小葉（六角柱状，大きさ約1mm）からなる．小葉間結合組織は血管や胆汁の通路（小葉間動脈，静脈，胆管）となる．個々の小葉には中心静脈があり，これを中心にして放射線状に肝細胞索が配列する．肝細胞索の間は複雑な洞

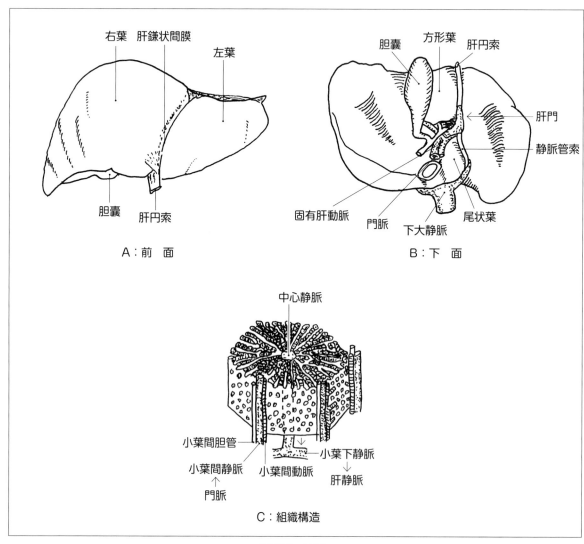

図52　肝臓

様毛細血管となり，その内腔には細菌や異物を食する星状大食細胞（クッパー細胞）が生体防衛を行っている．

門脈は，肝臓内で分かれて小葉間静脈となり，その血液は小葉の周囲から洞様毛細血管を通って中心静脈に向かい，ついで小葉下静脈から肝静脈となって下大静脈に流入する．胆汁は肝細胞間の毛細胆管に分泌され，小葉間胆管を経て，左右の肝管に入り，肝門で1本の総肝管となって肝臓を出る．

2）胆 嚢

胆嚢（容積 70mL）は肝臓下面の胆嚢窩に付着している．粘膜はヒダが多く，単層円柱上皮で，胆汁の水分を吸収濃縮し，貯蔵する．胆嚢には一本の胆嚢管があり，これが肝臓から出た総肝管と合流して総胆管となる．胆汁は，大十二指腸乳頭（ファーター乳頭）から十二指腸内へ放出される．

IV．膵 臓

膵臓は左右に細長く，胃の後ろで後腹壁に結合するが，前面は腹膜で覆われる．膵頭，膵体，膵尾の3つに分けられる．膵頭は十二指腸の彎曲にはまり，膵体は椎骨の前を左方へ，膵尾は脾臓に接する．膵臓は，外分泌部・内分泌部からなる．

(1) 外分泌部

複合胞状腺で小葉間結合組織によって腺小葉に分けられている．腺細胞は消化酵素を含む膵液を分泌する．酵素原顆粒は，ヘマトキシリン・エオジン染色では赤紫色に染まり，暗くみえる．

腺房の中央部には明るい腺房中心細胞がある．介在部（単層扁平上皮），膵管へとつづき，総胆管とともに十二指腸下行部の大十二指腸乳頭に開く．副膵管は単独で小十二指腸乳頭に開く．

(2) 内分泌部

この部分の細胞塊で**膵島（ランゲルハンス島**：直径約 250μm）といわれ，薄い結合組織で包まれ膵尾に多い．ランゲルハンス島には，A（α）細胞，B（β）細胞，D（δ）細胞の3種がある．

① A（α）細胞 —— 約20%を占め，グルカゴンを分泌し血糖値を上昇させる．
② **B（β）細胞** —— 約70%を占め，インスリンを分泌し血糖値を低下させる．この細胞が破壊されると血糖値が異常に上昇し，糖が腎臓から尿中に排出される糖尿病が起こる．
③ D（δ）細胞 —— 約10%を占め，ソマトスタシンを分泌し，A（α）細胞，B（β）細胞のホルモン分泌を抑制する．

V．腹 膜

腹膜（**図53**）は，腹腔と骨盤腔の内面および臓器の表面を覆う漿膜である．腹腔の前，後，上，下壁のそれぞれを覆う壁側腹膜と，臓器の表面を覆う臓側腹膜とがある．両腹膜の間には腹膜腔があり，腹膜液によって湿潤され，消化管の運動を滑らかにする．

1）壁側腹膜

前腹壁を内張りする壁側腹膜にはヒダ，すなわち正中臍ヒダ（正中臍索を入れる），内側臍ヒダ（臍動脈索を入れる），外側臍ヒダ（下腹壁動・静脈を入れる）がみられる．

2）臓側腹膜

　元来，内臓は臓側腹膜の外側，腹壁の筋との間に発生し，大きく発育して腹腔内に突出する．このとき，臓側腹膜も一緒に引っぱって突出し，これを間膜という．間膜は2枚の腹膜からなり，内臓に分布する血管，リンパ管，神経が2枚の間を通る．間膜を有する臓器は可動性に富む．

　臓側腹膜には胃間膜（胃），腸間膜（空腸・回腸），結腸間膜（横行結腸・S状結腸）がある．十二指腸，盲腸，上行結腸，下行結腸，直腸は間膜を欠く．腹腔の前面で，横行結腸と胃の間をエプロン状に垂れ下がっている大網は4枚の腹膜からなる．

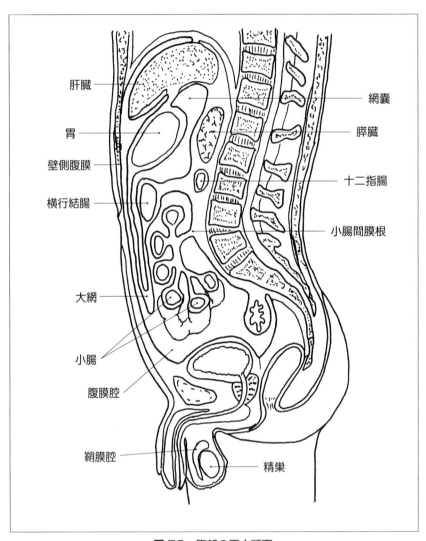

図53 腹部の正中断面

第5章　呼吸器系

Ⅰ．基礎知識

　呼吸器系は，**鼻**から空気を取り込み肺に入れ，肺から鼻へと空気を出している．肺では空気中の酸素を血液に取り入れ，血液中の二酸化炭素を排出している．呼吸器系で空気の通る通路を気道といい，鼻腔，咽頭，喉頭，気管，気管支，肺の順に構成されている（**図54**）．これらを通る間に空気中のほこりを除去し，温度と湿度を与える．気道のうち，鼻腔から喉頭までを**上気道**といい，喉頭から肺までを**下気道**という．鼻腔は嗅覚の機能も有し，喉頭には発声に関わる声帯がある．

Ⅱ．鼻　腔

1．鼻

　顔面の正中に隆起している部位を鼻と呼ぶ．鼻は皮膚，骨，軟骨，鼻筋などからなる．鼻の部分は上方から**鼻背**，**鼻根**，**鼻翼**，**鼻尖**に区別する．鼻翼の下端に鼻腔への入口である**外鼻孔**が一対ある．鼻腔の後方は咽頭に通じており，鼻腔と咽頭の境を**後鼻孔**という．

2．鼻　腔
1）鼻腔の構造
　鼻腔は外鼻孔から奥にある後鼻孔までの台形状の空洞で，**鼻中隔**により左右に分けられている．鼻腔は下記の壁で作られる．

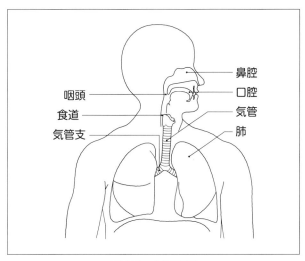

図54　呼吸器系

①上　壁 —— 左右幅が狭く，後方は蝶篩陥凹となる．
②下　壁 —— 口蓋の鼻腔面
③内側壁 —— 鼻中隔
④外側壁 —— 前後に長い3つの突起（**上鼻甲介**，**中鼻甲介**，**下鼻甲介**）があり，それぞれの下側に**上鼻道**，**中鼻道**，**下鼻道**（鼻涙管が開口）という隙間がある．外側壁と鼻中隔の隙間を総鼻道という．

2）鼻前庭と鼻粘膜

鼻前庭は，外鼻孔から少し中に入った小さな範囲をいい，皮膚で覆われ，多くの鼻毛と汗腺がある．鼻前庭を除いた鼻腔の大部分は鼻粘膜で覆われている．鼻粘膜は，呼吸部と嗅部に大別する．

①**呼吸部** —— 呼吸部の粘膜上皮は偽重層（多列線毛）上皮で，多数の杯細胞を含む．粘膜固有層から粘膜下組織にかけて鼻腺（混合腺）と静脈叢が豊富にある．とくに外鼻孔に近い鼻粘膜には血管が豊富で，鼻出血を起こしやすい．

②**嗅　部** —— 嗅部は上鼻甲介とそれに対面する鼻中隔の一部である．この部は嗅細胞と支持細胞からなる嗅粘膜嗅部（**嗅上皮**）と，粘膜固有層には嗅腺が存在する．嗅細胞から出た嗅神経は篩骨篩板の小孔を通って頭蓋腔に入り，嗅球に至る．

3．副鼻腔

鼻腔を取り囲む4つの含気骨の骨空洞（**図55**）が，いずれも鼻腔とつながっている（**表12**）．これらの骨空洞を**副鼻腔**という．副鼻腔は**上顎洞**，**前頭洞**，**篩骨洞**と**蝶形骨洞**の4つである．特に上顎洞には歯の歯根が出ていることがあり，この歯が感染すると上顎洞炎になる．また，上顎洞炎から歯髄に感染することがある．

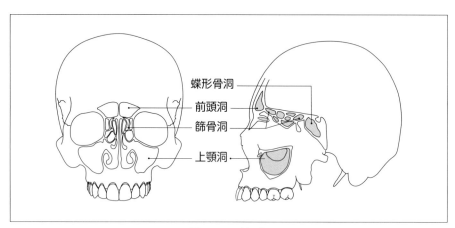

図55　副鼻腔

表12　副鼻腔（p.8 含気骨参照）

名　称	開 口 部 位	
上顎洞	半月裂孔を通じて中鼻道へ	ときに洞底に上顎臼歯の歯根尖をみる
前頭洞	半月裂孔前端から中鼻道へ	
蝶形骨洞	蝶篩陥凹へ	咽頭鼻部上壁の後上部
篩骨洞	上鼻道と中鼻道へ	多くの篩骨洞が集まって篩骨蜂巣をつくる

III. 咽　　頭

第4章 消化器系を参照（p42, 43）．

IV. 喉　　頭

喉頭（**図56**）は気道の一部で，発声器でもある．さらに喉頭の入り口に**喉頭蓋**があり，これによって食物が気管に入ることを防いでいる．喉頭は第4～第6頸椎の前，舌骨下筋（群）の後ろにあり，喉頭の前面には甲状腺がある．特に男性の喉頭前面中央は甲状軟骨の突出による**喉頭隆起**（アダムのリンゴ）がある．

1．喉頭壁

喉頭壁は**喉頭軟骨**（**喉頭蓋軟骨，甲状軟骨，輪状軟骨，披裂軟骨**）によって作られている．喉頭壁の喉頭軟骨は粘膜で覆われる．粘膜上皮はほとんど偽重層（多列線毛）上皮であるが，喉頭蓋と声帯ヒダの一部は重層扁平上皮である．

2．喉頭腔

喉頭壁で囲まれた空隙を喉頭腔といい，その入口を喉頭口という．嚥下時は反射的に喉頭自体が上昇し，舌根後端からしゃもじのように突出した喉頭蓋が喉頭口のふたとなって，食塊が喉頭に入らないようにしている．さらに，喉頭腔には前後に走る上下2対のヒダが内腔へ張り出している．上のヒダを前庭ヒダ，下のヒダを**声帯ヒダ**（声帯靱帯と声帯筋）という．ヒダにより，喉頭腔は上から喉頭前庭，喉頭室，声門下腔の3つの部分に分かれる．

声帯ヒダは声帯ともいい，両側のヒダは正中部に頂点を前に向けた細長い三角形の声門裂をつくる．声門裂と声帯ヒダを合わせて**声門**といい，肺から出される空気が声門裂を通過するとき，声帯に振動が発生

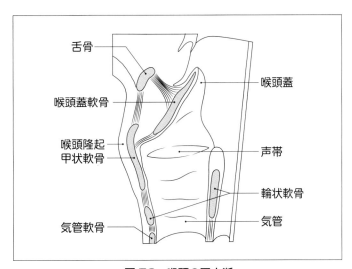

図56　喉頭の正中断

することで声となる．これら声帯筋など大部分の喉頭にある筋は，迷走神経の下喉頭神経（反回神経）が支配する．この神経が障害されると声門が狭くなり，声は嗄声（しわがれ声）となる．男性の声変わりは急速な喉頭の発育による形態変化によって起こる．

V．気管と気管支

　甲状軟骨の下に輪状軟骨があり，この下から続くのが**気管**（**図57**）である．気管の始まる高さは第6頸椎の高さである．その後，垂直に食道の前を下降し，第4～第5胸椎の高さで左右の気管支に分かれる．気管の長さは約10cmで，直径が約2cmの管である．右気管支は太くて短く，左気管支は細くて長い．さらに左気管支は気管に対する傾斜（約45°）が大きく，右気管支は傾斜（約24°）が小さい．このような左右差によって，異物が誤って気管内に落下すると，右気管支に落ち込むことが多い．

　気管と気管支は馬蹄形の**気管軟骨**および**気管支軟骨**が連なり管をつくるが，これらの軟骨は前壁と左右の側壁となる．後部は軟骨がなく，輪状靱帯で連結されている（**図58**）．後部の壁は膜性壁とよばれ，平滑筋でできている．気管と気管支の粘膜上皮は，多くの杯細胞を含む偽重層（多列線毛）上皮である．

VI．肺

1．形態

　胸腔内の**肺**は左右1対あり，左右の肺の間は**縦隔**と呼ばれる隙間によって隔てられる．右肺は左肺よりも大きい（約1.2倍）．肺は半円錐状で，その上端は**肺尖**とよぶ．肺尖は鎖骨より2～3cm上に突き出て，胸膜頂で覆われている（**図59**）．

　①下　面 ── 肺底とよび，凹面で横隔膜上面に接する．
　②肋骨面 ── 胸壁全周に及ぶ肋骨と接する．
　③内側面 ── 縦隔に接する面，中央に**肺門**がある
　④前縁と下縁 ── 鋭く，左肺には心切痕をみる．
　⑤左　肺 ── **斜裂**によって上葉と下葉の2つに区分される．

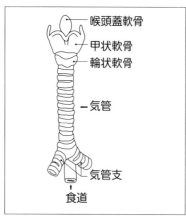

図57　喉頭・気管・気管支

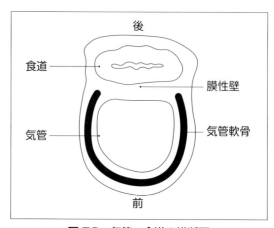

図58　気管・食道の横断面

⑥右　肺 —— 斜裂と**水平裂**によって上葉，中葉と下葉の3つに区分される．

　肺実質の単位として肺区域がある．肺門を気管支，肺動静脈，気管支動静脈，リンパ管，神経が通って肺実質に出入りする．これ全体は胸膜に覆われて肺根をつくる．

2．構　造

　肺門に入った気管支は葉気管支，区域気管支，気管支枝，小葉間細気管支，終末細気管支，呼吸細気管支と分岐を繰り返し，全体として気管支樹をつくる．最後には呼吸上皮でつくられる**肺胞管→肺胞囊→肺胞**となり，ガス交換が行われる．

3．肺の血管

①機能血管 —— 肺動静脈が気管支に沿って分岐し，肺胞の周囲に毛細血管網をつくる．
②栄養血管 —— 気管支動静脈が呼吸細気管支のあたりまで分布する．

Ⅶ．胸　　膜

　胸膜（**図59**）には肺表面を覆う**臓側胸膜**（肺胸膜）と胸壁の内面を覆う**壁側胸膜**がある．両者は肺門周辺で移行する．両胸膜の間には**胸膜腔**があり，この中に少量の漿液がある．胸膜炎が起こると，多量の漿液が貯留したり，胸膜の癒着が起こったりして，肺の動きが制限される．

　肺は常に縮まろうとする性質がある．胸膜腔内は陰圧（約－3 mmHg）になっているので，通常肺は膨らんでいる．しかし，陰圧でなくなると肺が急激に縮小することが起こる．肺や胸壁に損傷が起こると胸膜腔に空気が入って大気圧と同じになり，肺が縮小する．これを**気胸**という．

Ⅷ．縦　　隔

　縦隔とは，左右の肺と胸椎と胸骨に囲まれた空隙をいう．この空隙には心臓，気管，気管支，食道，胸管，胸腺，胸大動脈，奇静脈，交感神経幹，横隔神経，迷走神経等がある．

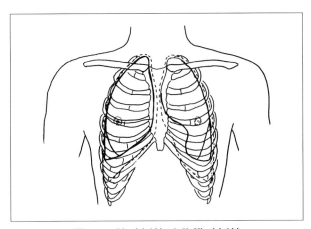

図59　肺（実線）と胸膜（点線）

第6章　泌尿器系

Ⅰ．基礎知識

　身体に取り入れられたさまざまな物質は消費された結果，組織にとって不用な代謝産物や分解産物となって血液中に含まれている．特に，水に溶けた物質を尿成分として排泄する器官として腎臓がある．
　泌尿器は，腎臓，尿管，膀胱，尿道（**図60**）からなる．

Ⅱ．腎　　臓

1．位置と形態

　腎臓の位置は，腹腔の後壁上部，壁側腹膜の後ろで脊柱（第11胸椎〜第3腰椎）の両側に左右1対存在する．右腎臓は，肝臓があるために左腎臓よりも半椎低い．
　腎臓の大きさは，幅約5cm，長さ約11cm，厚さ約3cmで，多量の血液を含むため赤褐色を呈するインゲンマメ（ソラマメ）状である．その内側縁は凹み中央を腎門といい，前から順に腎静脈，腎動脈，腎尿管が出入りする．

2．構造と機能

　前頭断された腎臓（**図61**）をみると，最外周に線維被膜とその下に筋質膜（平滑筋）があり，実質は皮質（表層）と髄質（深層）に分けられる．腎実質は約10個の腎葉からなり，腎葉は髄質では円錐状の腎錐体をつくり，その錐体尖を腎乳頭という．

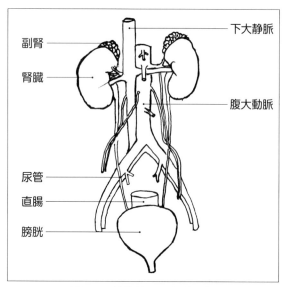

図60　後腹壁の器官（男性）

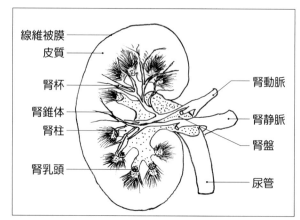

図61　腎臓（前頭断面）

腎葉間には皮質の一部が入り込み腎柱を形成している．尿管の始まりは腎門内でふくろ状の腎盤で，腎錐体の尖端を包むように腎杯が扇状に突出して，腎乳頭をうけている皮質と腎柱には**腎小体**（直径約200μm）とこれから出る**尿細管**がみられ，髄質にもこの曲尿細管に続く直尿細管があり，さらに集合管が尿を集めて腎乳頭に開く腎小体と尿細管を合わせて**腎単位**（**ネフロン**）といい，尿生成の構成単位をなしている．1つの腎臓に約100万個存在するといわれる．腎小体は，毛細血管球の糸球体とそれを取り囲む**糸球体包**（ボーマン嚢）によって構成され，ここでいわゆる原尿が生成されるが，尿細管で身体にとって必要なものは再吸収され，不用なものが分泌され，原尿の約1％が尿として排泄される（**図62**）．

III．尿　　管

尿管は腎盤から膀胱底に至る口径約6mm，長さ約30cmの細長い管で，後腹壁の腹膜下を下内側方に走る．粘膜上皮は移行上皮で，筋層は平滑筋で構成され，蠕動によって尿を移送する．

IV．膀　　胱

骨盤腔内で恥骨結合のすぐ後ろにあり，**膀胱**の後方には男性では直腸があり，女性では子宮・腟がある．粘膜上皮は移行上皮，筋層は平滑筋でいずれも伸展性に富んでいる．膀胱底には左右の尿管口とその前方に内尿道口が三角に配列している（膀胱三角）（**表13**）．

V．尿　　道

男性の尿道は長く（16〜18cm）陰茎の中を走り，その基部に前立腺が取り巻いている．女性の尿道は短く（3〜4cm），膀胱や腎盤は細菌感染を受けやすい．

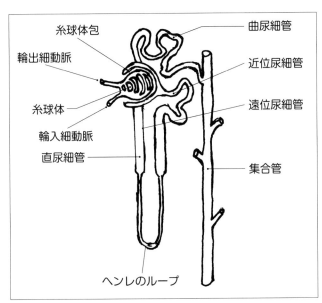

図62　尿細管

表13　膀胱と尿道の筋

筋　名	筋組織の種類	動　き
排尿筋	平滑筋	交感神経で弛緩，副交感神経で収縮
膀胱括約筋	平滑筋	交感神経で収縮，副交感神経で弛緩
尿道括約筋	骨格横紋筋	収縮，弛緩は随意的に陰部神経支配

第7章　生殖器系

I. 基礎知識

生殖器は，**生殖細胞**，つまり男性では**精子**を，女性では**卵子**を形成する器官である．しかも，哺乳動物では，女性の生殖器は両者の合体によって生じる受精卵を育成し，新しい個体を出産させる器官でもある．

一方，生殖器は発生学的経過からみて，泌尿器の発生とは分離して論じることはできない．

II. 男性の生殖器

精子を形成する生殖腺（精巣），分泌物（精子）を体外へ導く導管（精巣上体と精管，射精管）およびそれらの付属腺（精嚢，前立腺，尿道球腺）がある．そして，陰茎が外生殖器として存在する（図63，64）．

1）精巣（睾丸）

精巣は精子形成器官であると同時に，男性ホルモン（テストステロン）を分泌する内分泌腺でもある．

（1）位置と形状

楕円体（縦：約3.5cm×幅：2.5cm）で左右1対，陰嚢の中に入っている．精巣は発生時には後腹壁にあるが，次第に精巣導帯の誘導によって下降し，胎生7カ月頃に鼠径管を貫いて陰嚢に入る．

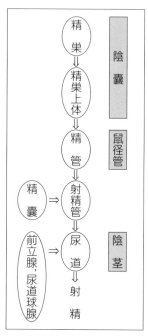

図63　男性の生殖器の構成と精子の通路

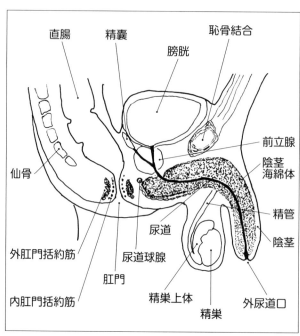

図64　男性の骨盤臓器（正中断面）

(2) 構造

精巣の表面は線維性結合組織の白膜で覆われ，これから実質内部へ侵入する仕切り（精巣中隔）によって多数の小葉に分かれている．各精巣小葉のなかには数本の長い曲精細管が入っている曲精細管は精巣の後上端で直精細管となり，たがいに吻合し精巣網を形成したのち精巣上体の精巣輸出管となる曲精細管の内局には，精子形成過程のさまざまな細胞と，これを支持し養う支持細胞（セルトリ細胞）がある．また精細管の間には間質細胞（ライディヒ細胞）があり男性ホルモン（テストステロン）を分泌している．

2）精巣上体（副睾丸）

精巣の上端から後縁にかけて隣接している．上体内では20本ほどの精巣輸出管が1本となりヒモ状の精巣上体管を形成し，精管に続く精子は精巣上体管で一時的に貯えられる．

3）精管と精索

精管は直径3mm，長さ約40cmで精巣上体管の下端から上行して精巣動・静脈や筋膜とともに精索となって，浅鼠径輪→鼠径管→深鼠径輪と走り腹腔後壁に達し，尿管を横切り膀胱底で射精管に続く．射精管は尿道の前立腺部にある精丘に開く．尿道の一部は尿路であると同時に精液の通路でもある．

4）精嚢

膀胱底後壁に接する細長い袋で精管に開く分泌物は果糖を含んだアルカリ性粘液で精子を保護する．

5）前立腺

膀胱底の前壁で尿道の基部を取り巻くように存在する．その導管は尿道の精丘に開き，腺腔には層状構造の前立腺石がみられ，加齢的に増加し前立腺自体が硬くなる（前立腺肥大症）．分泌物は精液特有の臭気をもつ白色アルカリ性で精子に運動性を与え活性化する．

6）尿道球腺

前立腺の前下方で尿生殖隔膜内に埋まる大豆大の腺で，アルカリ性の粘液を尿道に分泌する．

7）男性の外生殖器

陰茎とそのなかを走る尿道は，交接器であると同時に泌尿器の一部でもある．尿道は膀胱底の内尿道口から始まり，陰茎亀頭の先端の外尿道口で外に開く．尿道の背側に陰茎海綿体がある．海綿体は静脈の一種で，静脈叢は多くの小柱によって海綿状の洞を形成する．ここに血液が貯留すると陰茎は勃起する．

Ⅲ．女性の生殖器

卵巣，卵管，子宮，膣，外陰部で構成されている（**図65，66**）．

1）卵巣

卵子を形成すると同時に女性ホルモンを分泌する器官である．

(1) 位置と形状

卵巣は骨盤側壁の分界線の下方，内・外腸骨動脈分岐部に位置する母指頭大の器官である．卵巣は子宮広間膜に包まれ，固有卵巣索と卵巣提索という靱帯によって固定されている．

(2) 構造

卵巣は腹膜とその下の結合組織の白膜で包まれている．成熟卵胞からは卵胞ホルモン（エストロゲン）が分泌される．排卵後の卵胞は血液で充たされ赤体となるが，やがて黄体細胞で満ちて黄体が形成され黄体ホルモン（プロゲステロン）が分泌される．妊娠すれば黄体は出産後，授乳が終わるまで存在する（妊

娠黄体）．妊娠しなければ結合組織に置換し白体（月経黄体）となる

2）卵　管

子宮底と卵巣の間の長さ約10cmの管で，卵巣端ではラッパ状に腹腔に開き卵管漏斗となって卵巣にかぶさっている．卵管の子宮側1/3を峡部，卵巣側2/3を膨大部とよぶ．精子は膨大部まで自走して排卵を待ち，1〜2週間生存が可能である．この部分で卵子は受精し，成熟し，分裂する．これを受精卵とよぶ．

3）子　宮

（1）位　置

子宮は骨盤腔内で膀胱と直腸の間に位置し，扁平なナスビ形である．子宮体の上部を子宮底といい，その両側端に卵管が開く．下方を峡部といい，子宮頸を経て子宮口から膣に通じる．子宮は子宮広間膜とそのなかに含まれる子宮円索，固有卵巣索，卵巣提索によって固定されている．

（2）構　造

子宮の粘膜を子宮内膜といい，単層円柱上皮で多数の子宮腺がある．この内膜は表層の機能層とその下の基底層に分けられ，前者は月経周期によって変化（脱落）する．子宮筋層は平滑筋からなり血管に富み，その外周は漿膜（子宮外膜）に包まれている．

4）膣

膣は産道であると同時に交接器である．膣上皮は重層扁平上皮である．つまり子宮口を境として突然変わる．したがって，子宮口の周辺では子宮頸癌が好発する．上皮はグリコーゲンに富み，乳酸桿菌の発育をうながし乳酸を産生し雑菌の繁殖を防ぐ．腟の下端は膣前庭に開き，膣口には処女膜（痕）がある．

5）女性の外生殖器（外陰部）

恥丘，陰核（男性の陰茎にあたる），大陰唇（男性の陰嚢），小陰唇（男性の陰茎の皮膚），膣前庭（男性の尿道），大前庭腺（男性の尿道球腺），前庭球（男性の尿道海綿体）がある（**図67**）．

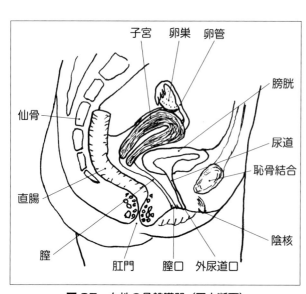

図65 女性の骨盤臓器（正中断面）

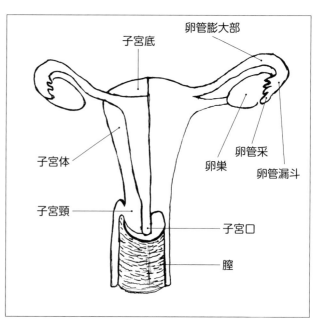

図66 女性の生殖器

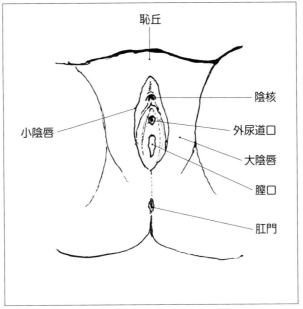

図67 女性の外生殖器

第8章　内分泌腺

I. 基礎知識

　内分泌腺（**図68**）は**化学的物質（ホルモン）**を分泌する器官である．内分泌腺は導管をもたず，ホルモンは直接血管やリンパ管内に放出される．

　身体のいろいろな器官の機能は，神経系と内分泌腺の2つによってコントロールされる．内分泌腺によるコントロールは，全身に分布している血管を通じて行われ，神経系と内分泌腺の両者が互いに協調して働いている．

II. 甲状腺

　甲状腺は頸部にあり，喉頭から気管の前面で甲状軟骨に接し，H字型で両側の右葉と左葉，両葉をつな

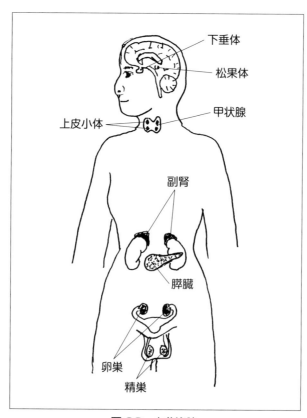

図68 内分泌腺

ぐ峡部からなる．甲状腺の発生源は内胚葉で，そのなごりが舌分界溝中央にある舌盲孔である．

甲状腺は被膜で覆われ，実質は多くの小葉に分かれ，小葉は単層立方上皮で囲まれた**濾胞**で形成される．濾胞〔カラーグラフ16,17〕の中にはコロイドや**甲状腺ホルモン（サイロキシン）**が貯えられている．サイロキシンは物質代謝を促し，歯や骨格の発育に大きく関与する．また，濾胞に接して濾胞傍細胞があり，血中カルシウム濃度を低下させる**カルシトニン**を分泌する．

Ⅲ．上皮小体（副甲状腺）

上皮小体は甲状腺の後面あり，上下2対の計4個のコメ粒大の器官である．
パラトルモンを分泌し，身体のカルシウムとリンの代謝を調整し，血中カルシウム濃度を上昇させる．

Ⅳ．副　腎

副腎は，半月状で第11〜12胸椎の高さで腎臓の上端に接して位置する．

副腎は被膜で包まれ，実質は中胚葉性の皮質と外胚葉性の髄質に分かれる．皮質は球状帯，束状帯，網状帯の3層に分かれ，それぞれ**電解質コルチコイド**，**糖質コルチコイド**，**性ホルモン**を分泌する．髄質からは**アドレナリン**，**ノルアドレナリン**が分泌される（**表14**）．

Ⅴ．下　垂　体

下垂体は蝶形骨体にあるトルコ鞍の下垂体窩に入っている．下垂体は視床下部とつながっている．下垂体は腺下垂体（前葉と中間部）と神経下垂体（後葉）からなる．前葉は下垂体嚢（ラトケ嚢）の外胚葉性の原始口腔上皮に由来し，後葉は間脳の一部に由来する．

前葉には酸好性細胞〔**成長ホルモン**，**乳腺刺激ホルモン（プロラクチン）**〕，塩基好性細胞〔**副腎皮質刺激ホルモン**，**卵胞刺激ホルモン**，**黄体形成ホルモン**，**甲状腺刺激ホルモン**〕，色素嫌性細胞があり，中間

表14　副腎ホルモン

		ホルモン	作　用
皮質	球状帯	電解質コルチコイド （例：アルドステロン）	Na再吸収 K排出 炎症作用を促進
	束状帯	糖質コルチコイド （例：コルチゾン，ヒドロオキシコルチコステロン）	抗炎症作用 免疫能抑制 タンパク質分解促進
	網状帯	男性ホルモン （例：アンドロジェン）	男の女性ホルモン作用 女の男性ホルモン作用
髄質		アドレナリン，ノルアドレナリン	末梢血管収縮 血糖値の上昇 心拍促進

部には下垂体腔をみる（メラニン細胞刺激ホルモン）．後葉は視床下部から伸びてきた神経線維が入っているので，神経組織の分泌するホルモン［**抗利尿ホルモン（バソプレッシン）**，**子宮収縮ホルモン（オキシトシン）**］が分泌される．

VI．松果体

松果体は中脳の四丘体のすぐ前にあり，第3脳室上壁の一部が後方に入込み，視床上部に属する．神経細胞に由来した松果体細胞と神経膠細胞がある．

松果体が分泌するホルモンはメラトニンで，生殖器の発育を抑制する．また生体リズム（概日リズム）をつくるのに関係している．

VII．膵臓（膵島）

膵臓は消化器系に属する実質性臓器で，詳細は第4章 消化器系に記載してある通り，外分泌部と，内分泌部とからなる．

膵臓の内分泌部は，細胞塊で膵島（ランゲルハンス島）といわれる．膵島を構成する細胞に3種類あり，A細胞から分泌されるのは**グルカゴン**で，血糖値を上昇させ，B細胞から分泌されるのは**インスリン**で血糖値を低下させる，またD細胞から分泌されるのは**ソマトスタチン**で，A細胞とB細胞のホルモン分泌を抑制するといわれている．

VIII．生殖腺（精巣，卵巣）

1．精巣

精巣は精子を形成する器官であり，また男性ホルモンを分泌する内分泌腺で，詳細は第7章 生殖器系に記載してある．

精細管の間には間質細胞（ライディッヒ細胞）があり**男性ホルモン（テストステロン）**を分泌する．

2．卵巣

卵巣は卵子を形成する器官であり，また女性ホルモンを分泌する内分泌腺である．詳細は第7章 生殖器系に記載してある．

成熟卵胞からは**卵胞ホルモン（エストロゲン）**が分泌され，また卵巣内の間質細胞からは**卵巣ホルモン**が分泌される．また黄体からは**黄体ホルモン（プロゲステロン）**が分泌される．

第9章 脈管系

I. 基礎知識

　脈管系は心臓血管系とリンパ管系に分けられ，心臓血管系は血液の循環で，リンパ管系はリンパの循環である．脈管系は循環系ともよばれる．
　心臓血管系の構成は心臓，動脈，毛細血管，静脈，脾臓と造血器官からなる．心臓は血液を送り出すポンプである．
　血液の循環路は，**体循環**，**肺循環**，**門脈循環**に大別できる．胎児の血液の循環路は，成人と異なり，胎盤とつながった循環路である．

II. 基礎用語

1. 動　脈（図69）

　心臓から末梢へ，血液を送る血管を動脈という．心臓から出た太い動脈を**大動脈**という．動脈が分岐して細くなった血管を細動脈または小動脈という．通常，1本の動脈の分枝と，別の動脈の分枝との間には交通がある．そのおかげで1本の動脈路が断たれても，他の動脈から動脈血の供給を受けるようになる．一方，分枝間に交通，吻合のない血管もあり，これを終動脈という＜例：腎臓，心臓壁，脳など＞．

2. 毛細血管（図70）

　細動脈は目的とする組織器官内で分岐するが，赤血球が一個通る太さまでになる．直径は7μm位で，その壁が内皮細胞（単層扁平上皮）で構成される血管を毛細血管という．

3. 静　脈（図69）

　末梢から心臓へ向かう血流のある血管を静脈という．

4. 伴行静脈

　ほとんどすべての静脈は動脈に密接して並走する．これを伴行静脈といい，通常その名称は，伴行する動脈と同じ名をつける．

5. 皮静脈

　皮膚皮下組織内を走る静脈で，動脈と伴行せず，それ自身で粗い網をつくる．上肢肘部の皮静脈は静脈内注射によく用いられる．

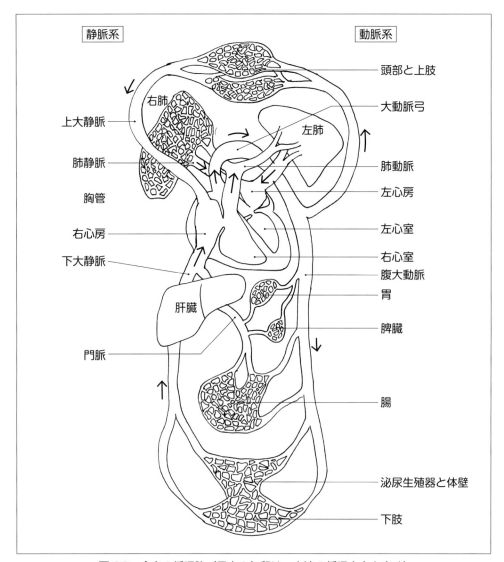

図 69 全身の循環路（図中の矢印は，血液の循環方向を表す）

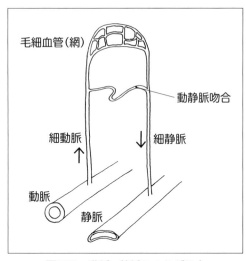

図 70 動脈‐静脈のつながり方

6．(脳) 硬膜静脈洞

脳を入れている頭蓋腔の内張りの骨膜を（脳）硬膜といい，その何カ所かが二重になり，脳からの静脈血がいったんプールされるところである．

7．静脈叢

多数の静脈枝でつくられた静脈網が立体的になったもので，その局所や形態に応じた名称をつけて「○○静脈叢」とよぶ．

8．門　脈（図69）

心臓を出た血液が消化管，消化実質器官，脾臓などの器官で毛細血管網を通過し，1本の静脈管に集まる．これを門脈という．門脈は肝臓に入り，再び毛細血管網となり，ついで肝静脈から下大静脈をへて右心房に還流される．つまり，心臓を出た血液は2回毛細血管網を通過することとなる．これ全体を門脈系という．その一部は体循環の静脈と吻合する．

III．心　　臓

心臓は　中空の器官で，内部に血液があり，主に心筋細胞で構成される．形は尖端を下方にした円錐状で，尖端を**心尖**といい，円錐の底面を**心底**という．大きさは各人の握りこぶし大である．

1．心臓の位置（図71）

①位置：胸郭の中で左右の肺の隙間（縦隔）内の比較的下のほうで，横隔膜の上に乗ったように位置する．心臓全体の2/3は正中線より左側に，残る1/3は右側にある．心臓は二重の漿膜（心嚢）に包まれている．

②心尖の位置：左第5肋間隙で左乳頭線のやや内側（心尖拍動が聴診できる）．

③心底の位置：左第2肋間隙で胸骨の左縁より約3cm外側，右縁は胸骨右縁上．

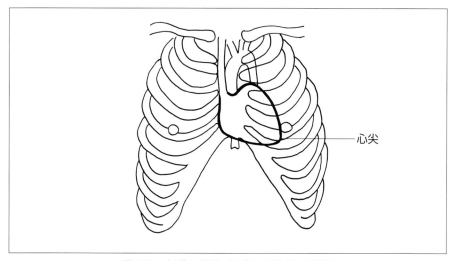

図71　心臓の位置（心臓を前胸壁に投影）

④心軸:右後上方から左前下方に斜走する.心尖は前胸壁に接し,心底からみて左方へねじれているので右心室が最も前に,左心房が最も後ろに位置する.

2.心臓の外観と内観

心臓は左右それぞれの心房と心室の4室からなる.

1)外 観

①右心室から出る血管:肺動脈(肺循環の起点),**肺動脈弁**(半月弁)がある.

②左心室から出る血管:上行大動脈(体循環の起点),**大動脈弁**(半月弁)がある.

③右心房に入る血管:上および下大静脈(体循環の終点),冠状静脈洞と心臓壁からの小静脈がある.

④左心房に入る血管:肺静脈(肺循環の終点).

⑤冠状溝:心房と心室の境にあたる.

⑥室間溝:右心室と左心室の境にあたる.

2)内 観(図72)

①心房:心房中隔によって左心房・右心房に分かれる.心房中隔には卵円窩がある.

②心室:心室中隔によって左心房・右心室に分かれる.

③右房室口:右心房→右心室へ,この口に**右房室弁(三尖弁)**がある.

④左房室口:左心房→左心室へ,この口に**左房室弁(二尖弁,僧帽弁)**がある.

3)心臓壁の構造(図73)

(1) **心内膜** ── 単層扁平上皮の内皮で血管内膜へつづく.弁は心内膜の突出物である.

(2) **心筋層** ── 心(臓横紋)筋

①心房:2層

②心室:3層からなる.外層(斜走,心尖で心渦をつくる),中層(輪走),内層(縦走)

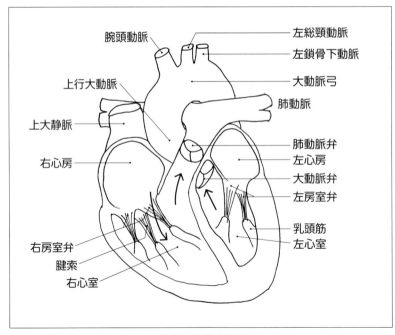

図72 心臓の内景

(3) 心　膜

①漿膜性心膜：この膜は臓側板（心外膜）ともいう．心尖から心臓表面に密着して心底まで覆い，心底で出入りする大血管の基部も覆って反転し，壁側板（心嚢）となって心尖に帰る．したがって両板の間に，心膜液を入れる心膜がある．

②線維性心膜：壁側板（心嚢）の外面にあって，横隔膜を始め周囲の胸膜と密着し，縦隔胸膜，前胸膜と密着し，血管外膜に移行している．

4）心臓の栄養血管（図74）

①**冠状動脈**：左右1対みられ，上行大動脈から起始する．

②**冠状静脈洞**：心臓壁からの他の小静脈とともに右心房に入る．

5）刺激伝導系（図75）

　この系は，特殊な心筋線維で構成され，心房壁に起こった興奮を心房壁に，次いで心室壁に伝える．これによって心筋が自動的にリズミカルな収縮と弛緩という運動をくりかえす．次の2系からなる．

(1) 洞房系

　洞房結節（キース・フラックの結節）──　右心房の上大静脈開口付近にある．この結節から興奮が起こり，左右の心房内面に興奮がひろがる．

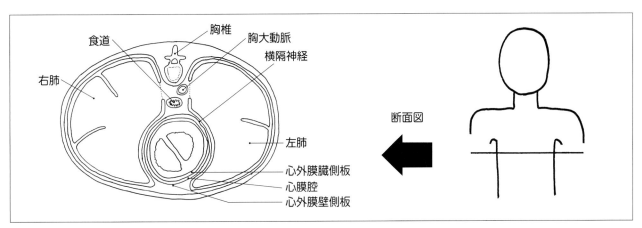

図73　縦隔，心膜の構造と肺との関係

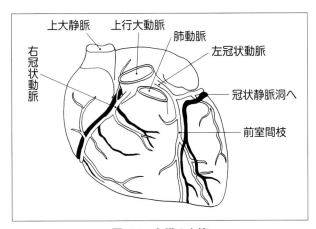

図74　心臓の血管

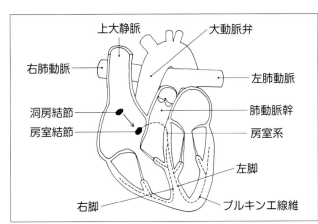

図75　刺激伝導系

(2) 房室系

房室結節（田原結節）　——　右心房の冠状静脈洞開口付近にある．この結節から興奮が起こり，中隔にある**房室（ヒス）束**を下って**プルキンエ線維**を経て興奮が心室にひろがる．

6) 心臓の神経支配

自律神経の支配によって心拍数の調節を行う．心拍数は交感神経の興奮により増大し，副交感神経（迷走神経）の興奮により減少する．

Ⅳ．血液の循環路

1．肺循環

右心室から出た血液は，左右の肺動脈を通り，左右の肺に入る．肺から出た血液は肺静脈を通り，左心房へと帰る．肺動脈には二酸化炭素を多く含む**静脈血**，肺静脈には酸素を多く含む**動脈血**が通る（図69）．

2．体循環

左心室から出た血液は動脈系によって全身に運ばれ，組織・細胞に栄養と酸素を与える（図69）．

1) 動脈系（**図76，77**）

左心室から出た上行大動脈は，大動脈弓，下行大動脈ついで左右の総腸骨動脈となる．下行大動脈は横隔膜の大動脈裂孔を通過するまでを**胸大動脈**といい，通過後は**腹大動脈**という．

(1) 上行大動脈

左心室の大動脈口から大動脈弓までの間を上行大動脈という．大動脈起始部は球状の大動脈球をなし，そこから左右の冠状動脈が分岐する．

(2) 大動脈弓

上行大動脈は左後方に曲がって大動脈弓となる．最高位置は第2胸椎の高さにあたる．大動脈弓の上壁から3本の枝が，①腕頭動脈，②左総頸動脈，③左鎖骨下動脈の順に出る．腕頭動脈は，すぐ右総頸動脈と右鎖骨下動脈とに分かれる（左右対称でないことに注意する）．

(3) 下行大動脈

①胸大動脈

a．肋間動脈

b．気管支動脈：肺の栄養動脈

c．食道動脈

d．上横隔動脈など：横隔膜の大動脈裂孔を貫いて腹腔に入る．

②**腹大動脈**（**図78**，**79**）
  a．**腹腔動脈**
  b．**上腸間膜動脈**
  c．**下腸間膜動脈**
(4) 総腸骨動脈
①内腸骨動脈：骨盤壁と骨盤内臓に血液を供給
②外腸骨動脈：下肢に血液を供給
(5) 頭頸部の動脈：**総頸動脈**（**図80**）

　右総頸動脈は**腕頭動脈**から，左総頸動脈は大動脈弓から直接分岐する．頭部を栄養する重要な動脈である．この動脈は内頸静脈と迷走神経とともに頸動脈鞘内を気管の外側（頸動脈三角）を上行する．走向中分枝を出さない．

　甲状軟骨上縁の高さで**外頸動脈**と**内頸動脈**に分かれる．分岐部は膨隆して頸動脈洞となり，脳への血流供給を調節する．

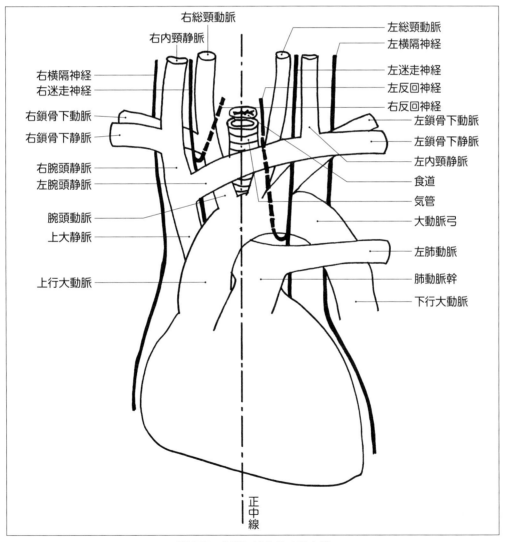

図76 心臓に出入りする血管

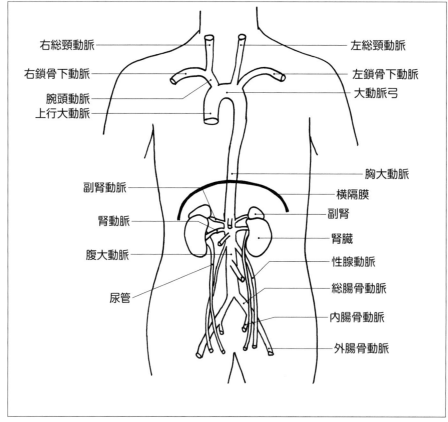

図77 大動脈を主体とした主要動脈の分布

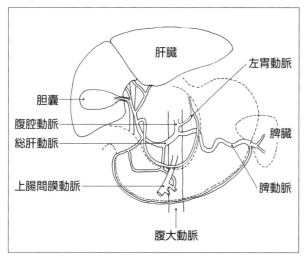

図78 上腹部の器官と腹腔動脈の分岐

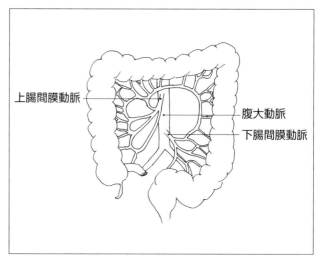

図79 上および下腸間膜動脈の分布

①**内頸動脈**

脳と眼に分布する動脈である．この動脈は上行して外頭蓋底に達し，側頭骨の頸動脈管を通って内頭蓋底に現れ，視神経管の後ろで**眼動脈**（眼球と眼窩内容に分布）を分枝した後，大脳動脈である前・中大脳動脈となる．左右の前大脳動脈は前交通動脈により交通し，また左右の中大脳動脈は後交通動脈が後大脳動脈と吻合して大脳動脈輪をつくる．脳には多くの血液が供給される〔カラーグラフ⑱〕．

②**外頸動脈**

顎二腹筋後腹と茎突舌骨筋の内側から下顎角の後内側を通り，下顎枝のすぐ後ろを上行し，下顎頸の高さ，外耳孔の前で顎動脈と浅側頭動脈の2終枝に分かれる．更に，下方から，次の分枝を順に出している．

a．上甲状腺動脈：舌骨，喉頭，甲状腺に分布する．

b．**舌動脈**：舌骨舌筋内側を通り舌に入る．この動脈は太く，その分枝は，更に以下に分かれる．

　b-1．舌下動脈 —— 口底の粘膜側，つまり顎舌骨筋より上，舌下三角に分布する．

　b-2．舌深動脈 —— 舌動脈の終枝で，蛇行が強く，舌の中を舌尖まで前走する．

c．**顔面動脈**

顔面頭蓋の前面と顎下三角に分布する動脈で，茎突舌骨筋と顎二腹筋後腹の内側から，顎下腺の内

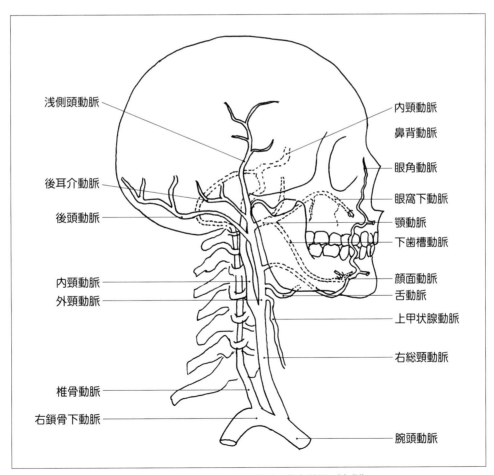

図80 外頸動脈と内頸動脈の分布状況（右側）

側を経て，咬筋付着の前で下顎底をまわって顔面に出て，口角を経て内眼角に至る．

　　c-1．上行口蓋動脈
　　c-2．扁桃枝 ── 口蓋扁桃に分布する
　　c-3．顎下腺枝
　　c-4．オトガイ下動脈

顔面に出てからは，

　　c-5．下唇動脈と上唇動脈
　　c-6．眼角動脈 ── 顔面動脈の終枝で，顔面中央1/3域に分布し，鼻背動脈（内頸動脈の眼動脈の枝）と吻合する．

d．上行咽頭動脈

　咽頭側壁を上行し頭蓋底に達する．

e．胸鎖乳突筋枝

　数本みられ，胸鎖乳突筋に分布する．

f．後頭動脈

　後方へ走る唯一の分枝で後頭部皮下に分布する．

g．後耳介動脈

　耳介とその内側に分布し，一部の分枝は中耳にも分布する．

h．**浅側頭動脈**

　顎動脈とともに外頸動脈の終枝で，耳介側頭神経とともに耳介の直前を上行し，側頭筋に分布する．

i．**顎動脈**（**図81**）

　浅側頭動脈とともに外頸動脈の終枝で，口腔と鼻腔領域に分布する重要な動脈である．この動脈は下顎骨下顎頸の後下部から始まり，下顎枝の内面と側頭筋・外側翼突筋の間を前走し翼口蓋窩に入る．

〔下顎枝の関節突起内側部で出る分枝〕

　　i-1．深耳介動脈 ── 顎関節，外耳道と鼓膜外面に分布する．
　　i-2．前鼓室動脈 ── 顎関節後部，鼓室に分布する．
　　i-3．中硬膜動脈 ── 顎動脈と同じくらい太く，2本の耳介側頭神経に挟まれ，棘孔を通って頭蓋腔に入り（脳）硬膜に分布する．
　　i-4．下歯槽動脈 ⟶ オトガイ動脈
　　　　下顎孔に入り，下顎管内をオトガイ孔に進み，オトガイ動脈としてオトガイ孔から出て，オトガイ部と下唇に分布する．下顎管内で歯枝と歯肉歯槽枝を分枝し，後方臼歯から犬歯までに分布する．その後，本幹の一部は下顎骨内を通り，切歯部に分布する．

〔翼突筋部を通るときの分枝〕

　　i-5．咬筋動脈 ── 下顎切痕を通って外側方へ越え，咬筋に分布する．
　　i-6．翼突筋枝 ── 外側翼突筋・内側翼突筋に分布する．
　　i-7．前・後深側頭動脈 ── 側頭筋に分布する．
　　i-8．頰動脈 ── 頰神経とともに下顎枝の内側を横切り頰筋と頰粘膜部に分布する．

〔翼口蓋窩部での分枝〕

i-9. 後上歯槽動脈

　　後上歯槽神経とともに上顎結節の歯槽孔に入り，上顎大臼歯（ときには小臼歯も），上顎洞粘膜に分布する．

i-10. 眼窩下動脈

　　顎動脈の延長で，眼窩下神経とともに眼窩下溝，ついで眼窩下管を経て，眼窩下孔から顔に出て顔面中央部に分布する．また眼窩下管内で前上歯槽動脈を分枝し，上顎骨体前面骨質内を下り，後上歯槽動脈と吻合し，切歯，犬歯，上顎洞粘膜に分布する．

i-11. 下行口蓋動脈

　　口蓋神経とともに大口蓋管を下行し，大口蓋動脈と小口蓋動脈に分枝する．前者は硬口蓋に，後者は軟口蓋と口蓋扁桃にそれぞれ分布する．

i-12. 蝶口蓋動脈

　　翼口蓋神経節からの後鼻枝とともに内側方へ蝶口蓋孔を通り，分枝して鼻腔外側壁に至り，鼻腔の粘膜に分布する．その1枝は中隔後鼻枝として，鼻中隔を前下走し切歯孔から鼻口蓋動脈として口蓋に出る．

i-13. 翼突管動脈

　　頭蓋底に分布する．

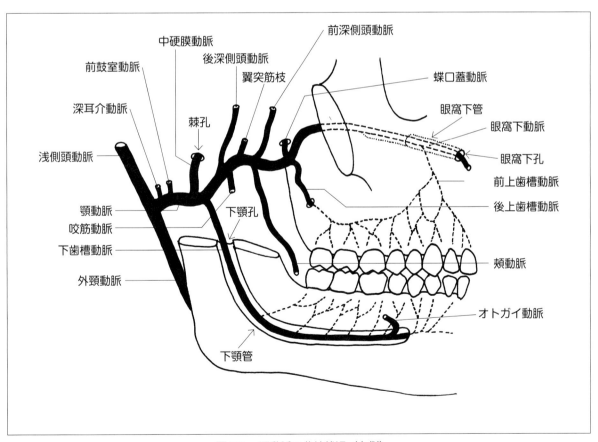

図81　顎動脈の分岐状況（右側）

(6) 上肢と下肢の動脈

①上肢の動脈

鎖骨下動脈→腋窩動脈→**上腕動脈**→**橈骨動脈**・尺骨動脈（**図82**）

臨床では上腕動脈は血圧測定に，橈骨動脈は脈拍測定に利用される．

　a．椎骨動脈

　　頸椎の横突孔を通り頭蓋腔内に入り，左右合して脳底動脈となり脳に分布．

②下肢の動脈

　　総腸骨動脈→外腸骨動脈→大腿動脈に続く．

2）静脈系

(1) 頭蓋と頭蓋腔の静脈（**図83**）

この領域からのほとんどすべての静脈血は内頸静脈に注いで環流される．しかし，一部は外頸静脈を介して鎖骨下静脈に注ぐ．

①硬膜静脈洞

②**内頸静脈**

硬膜静脈洞のつづきで頸静脈孔から下行する．鎖骨下静脈と合して腕頭静脈となる．この合流点を**静脈角**という．これに外頸動脈の多数の分枝からの静脈血を環流する静脈枝が合流する．静脈枝には大体伴行する動脈と同じ名称がつけられている．しかし，図83にみるように，顎動脈の分枝に相当した静脈枝は

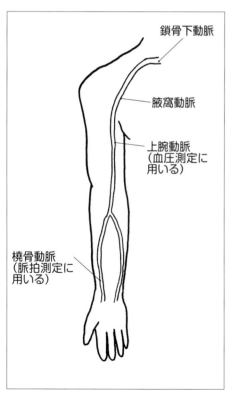

図82 上肢の動脈

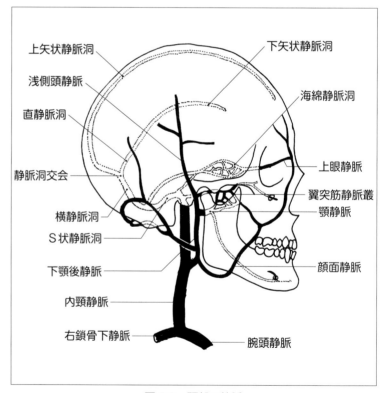

図83 頭部の静脈

形態を異にしていて，**翼突筋静脈叢**とよばれ，顎動脈とその分枝に絡みつくように存在し，次第に後方へ向かい，最後には1本の短い**顎静脈**となる．翼突筋静脈叢の位置は内側・外側翼突筋の隙間（翼突筋隙）にあたり，神経血管の通路として，また感染経路としても重要である．

　③**下顎後静脈**

　後走してきた顎静脈と，下行してきた浅側頭静脈とが合流したもので，また顔面静脈と合流し内頸静脈に注ぐ．

　④外頸静脈・前頸静脈

　ともに前頸部の皮静脈で，外頸動脈とは性状が異なることに注意を要する．

(2) 腕頭静脈

　腕頭静脈は1対あって内頸静脈と鎖骨下静脈が合流したもので，さらに左右のものが合流して上大静脈となり右心房に注ぐ．したがって，左腕頭静脈は右腕頭静脈より約3倍長い．鎖骨下静脈には椎骨静脈や浅頸部からの静脈血が注ぐ（注意：無対の腕頭動脈とは形態・性状が異なっている）．

(3) 上肢の皮静脈

　肘正中皮静脈→橈側皮静脈→鎖骨下静脈（**図84**）

　臨床では，肘正中皮静脈は点滴や採血の部位となる．

(4) 下肢の皮静脈

　小伏在静脈→大伏在静脈→大腿静脈

(5) 奇静脈系

　腹壁から胸壁の静脈血を集める一連の静脈で，最終的には上大静脈に入る．主幹は奇静脈，半奇静脈，副半奇静脈で，これらに腰静脈，肋間静脈と，横隔膜や縦隔からの静脈血が流入している．

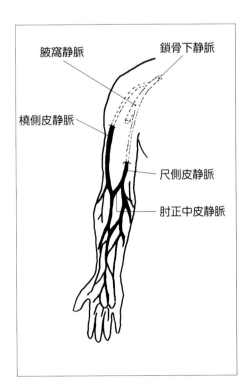

図84 上肢の皮静脈

V. リンパ系

リンパ系はリンパ管とリンパ節からなり，リンパはリンパ管を通り，静脈内に回収される．リンパ管の途中にはリンパ節が介在する．リンパ節はリンパ球を産生してリンパに送り出し，また流入する．

1．リンパ節

リンパ節（**図85**）は球状や卵状で，大きさは大豆大以下である．主にリンパ組織で構成され，しかも肉眼レベルで認知できる器官となったものをリンパ性器官（脾臓，扁桃，胸腺など）というが，リンパ節はこれに属する．

1）構造

①輸入リンパ管 —— 節の周囲から被膜を貫いて実質内に入る多数のリンパ管

②輸出リンパ管 —— 輸入リンパ管より数は少なく節門から出る

③被膜 —— 結合組織性

④小柱 —— 被膜は実質内に入って実質を多数の区画に分ける．

⑤皮質 —— **リンパ小節**（二次小節）が充満し，小節には**胚中心**をみる．リンパは小節内の周辺を流れて髄質へいく．

⑥髄質 —— 髄索は皮質のリンパ小節の続きで，その間にはリンパ洞がはり巡らされて，最後には輸出リンパ管に連なる．

2）リンパ節の機能

①リンパ球の産生（**Bリンパ球**）

②リンパの流れの調節

③リンパの中の異物を除去し，細菌を食べ込む

過剰の細菌や腫瘍細胞などがリンパ節内に流入するとリンパ節が腫脹する．臨床上，それによって原発病巣の存在部位を知ることができる．

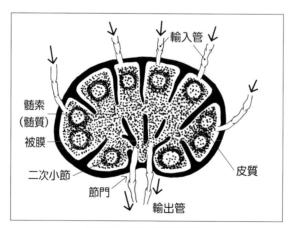

図85 リンパ節の構造

2．リンパの流れと本幹
1）リンパの流れ
　全身のリンパの流れは浅リンパと浅リンパ節（皮下を流れる）および深リンパと深リンパ節（一般に筋間，器官の間などで血管の走行に沿って流れる）の2つにまとめることができる．しかも体壁は層状に形成されているので，それぞれ層状の，しかもたがいに交通する流れをつくっている．そして重要なことはリンパが流れ出てくるもとの領域が，はっきり限られている．このことは臨床においてリンパ節が腫脹したとき，その原発を知るうえで重要である．

2）リンパ本幹（図86，87）
　①胸　管
　　左静脈角（左内頸静脈と左鎖骨下静脈の合流点）に注ぐ，人体最大のリンパ管．
　②右リンパ本幹
　　右静脈角（右内頸静脈と右鎖骨下静脈の合流点）に注ぐ．

3．全身のリンパ管とリンパ節
1）頭部のリンパ管とリンパ節（図88）
（1）リンパ管

　浅リンパは頭頂から3つのルートに分かれて，①後頭へ，②側頭から耳介後下方へ，③前頭から内眼角をへて下顎骨の方へ流れる．すべて耳介周囲のリンパ節や顎下リンパ節をへて，深頸リンパ節や一部は浅頸リンパ節へ注ぐ．

　深リンパは頭蓋腔や脊柱管内，眼窩，鼻腔，口蓋，翼口蓋窩，咽頭から顎動脈に沿って後走して深頸リンパ節へ注ぐ．

（2）リンパ節

①後頭リンパ節
　　a．輸入管 ── 頭頂部，後頭部から
　　b．輸出管 ── 浅頸リンパ節へ
②耳介後リンパ節：胸鎖乳突筋停止付近にある
　　a．輸入管 ── 耳介後面，乳突部から
　　b．輸入管 ── 浅・深頸リンパ節へ
③浅および深耳下腺リンパ節：耳下腺内にある
　　a．輸入管 ── 顔面側部から
　　b．輸出管 ── 顎下リンパ節および浅頸リンパ節へ
④咽頭後リンパ節
　　a．輸入管 ── 咽頭後壁から
　　b．輸出管 ── 深頸リンパ節へ
⑤**顎下リンパ節**：顎下三角で顔面動脈が下顎底を横切るところの前後に6〜10個認められる（図88）．
　　a．輸入管 ── 前頭，顔面，頰，口（腔）底，歯と歯周組織（ただしオトガイと下顎切歯部を除く），顎下腺，舌下腺から

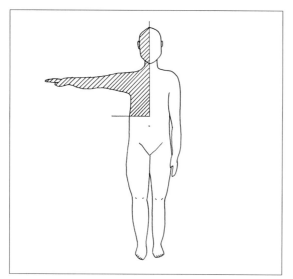

図86 胸管（白い部分）と右リンパ本幹（斜線）に回収されるリンパの領域

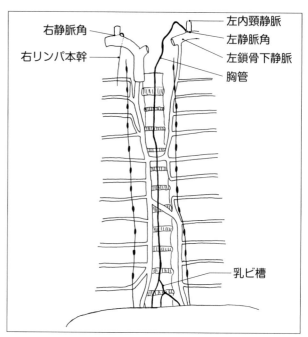

図87 リンパ本幹

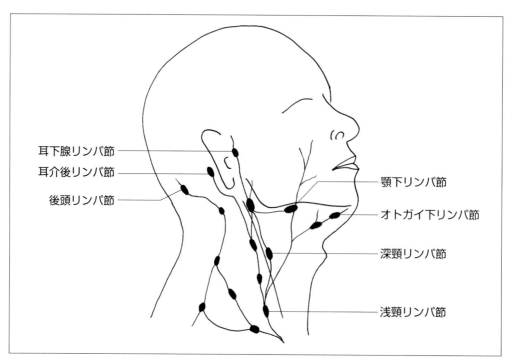

図88 頭頸部のリンパ節

b．輸出管 —— 深頸リンパ節へ（一部は浅頸リンパ節へ）
⑥**オトガイ下リンパ節**：オトガイ下三角にあり2〜3個で小型（図88）．
　　a．輸入管 —— 下顎前歯部，下唇，舌尖，オトガイから
　　b．輸出管 —— 顎下リンパ節，深頸リンパ節
⑦頰リンパ節：頰筋後方から咽頭側壁，さらに顎動脈に沿う．
　　a．輸入管 —— 眼窩，鼻腔，側頭下窩，翼口蓋窩，口蓋，咽頭から
　　b．輸出管 —— 深頸リンパ節へ
⑧舌リンパ節：舌根部にある．

2）頸部のリンパ管とリンパ節

　浅リンパは浅頸筋膜の表層を浅頸リンパ節へ，また深リンパは頸部内臓と多数ある頸部の筋間隙を流れて深頸リンパ節へ入る．

（1）**浅頸リンパ節**：皮下で外頸静脈に沿う．
①輸入管 —— 頸部皮下や耳介周囲から，また一部は顎下およびオトガイ下リンパ節から
②輸出管 —— 深頸リンパ節へ

（2）**深頸リンパ節**：上方のリンパ節群は内頸静脈に沿って頭蓋底より下方，下方のリンパ節群は鎖骨下静脈の高さまで位置する．
①輸入管 —— 頭蓋底，舌根，扁桃，口底，顎下およびオトガイ下リンパ節，浅頸リンパ節から
②輸出管 —— 頸リンパ本幹へ

　顎・顔面領域のリンパ節はすべて深頸リンパ節に入る．耳下腺リンパ節と舌リンパ節の一部→頸静脈二腹筋リンパ節へ，顎下・オトガイ下リンパ節→頸静脈肩甲舌骨筋リンパ節へ，これらは顎下部・前頸部の炎症・腫瘍の診断や頸部郭清術に際して重要視される．

VI．脾　　臓

　細網組織でできたスポンジ状の器官である．左側第9〜第10肋骨の内方に位置し，長さ約10cm，幅7cmで，形はコーヒー豆にたとえられる．機能として，血液の貯留，リンパ球産生，赤血球と血小板の破壊，抗体産生などがあげられる．

VII．胸　　腺

　胸腺は胸骨の後ろで，心臓の上部前面に位置する一対の器官で，細網組織からなる．乳幼児ではよく発達しているが，思春期を過ぎると退縮して，成人では小さくなる．老人では脂肪組織に置き換わっている．骨髄などの造血器官で生まれたリンパ球が胸腺に入って**Tリンパ球**となる．全身の他のリンパ性器官に対して重要な役割をする器官と考えられている．

第 10 章　神 経 系

Ⅰ．基 礎 知 識

　神経系は，個体が外界や体内から各種の刺激を受けたとき，これを感受する．さらに，それに反応して判断すると，必要に応じて外界に対して行動を起し，体の各所とたがいに連絡・調節して統制をとる．すなわち，神経系は全身にはりめぐらせた情報網であり，あらゆる刺激を分析し，適切な司令を発し，外界と体内の変化に対応できるようにする総合制御系統である．この総合制御の機能によって個体は秩序ある生命活動を営むことができる．したがって，神経系は形態（構造）と機能（作用）から，次のように大別できる（**図89**）．

1．形態的分類
　神経系は構造から**中枢神経系**と**末梢神経系**に大別される．
1）中枢神経系
　神経系の中枢で**脳**と**脊髄**からなり，両者の間に明瞭な境界はない．

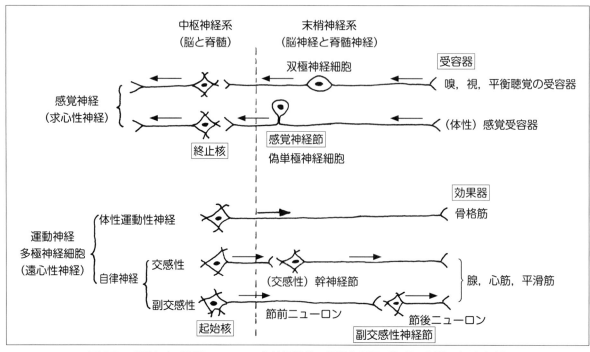

図89　感覚および運動ニューロンと神経線維の形態と種類（矢印は刺激の伝達方向）

便宜上，この位置はほぼ環椎上縁の高さにあたる．脳は頭蓋腔内，脊髄は椎孔の連なった脊柱管内にある．いわば神経細胞の集団で末梢からの刺激を受け，それを判断し，それに対する命令（刺激）を末梢に発するところである．

2）末梢神経系

脳神経と**脊髄神経**からなる．いわば脳・脊髄の中枢と，感覚受容器や運動器官のある身体末梢とを連絡する神経線維の束である．

2．機能的分類

神経系は機能から感覚（知覚）神経と運動神経に大別される．

1）感覚神経

個体の外界および体内に起こった刺激によって起こる意識を感覚という．その際，刺激を受容する装置（センサー）を感覚器といい，受容した刺激を中枢神経に向かって伝える神経を感覚神経（求心性神経）という．**感覚神経**は次の3種類に分けられる．

① **特殊感覚神経**：嗅覚，視覚，平衡・聴覚，味覚
② **体性感覚神経**：触覚，圧覚，温度覚（温覚，冷覚），痛覚，固有・深部感覚．前者の4つは，いわゆる表面感覚（皮膚感覚）で，皮膚や口腔粘膜などに受容器のある感覚である．固有・深部感覚は本来個体内の刺激を認知する感覚である．固有感覚は，個体内の固有受容器（腱紡錘や筋紡錘など）からの信号によって，深部感覚はやはり固有受容器（関節や歯周靭帯など）からの信号によって認知する感覚である．
③ **内臓感覚神経**：内臓や体腔膜にある受容器が刺激されて生じる感覚．内臓からの求心性入力のうち，感覚として意識にのぼるもの（空腹・飽食感，渇き，吐き気，尿意，性感覚など）である．すなわち内臓から中枢へ伝達される．皮膚感覚とは異なり局所の認知があいまいである．

2）運動神経

中枢（脳・脊髄）からの刺激を命令として発し，その刺激を身体の末梢にある運動器官（筋と腺）に伝える神経を運動神経（遠心性神経）という．

① **自律神経**（植物運動神経）

　この神経は**交感神経**と**副交感神経**で構成されている．心筋・平滑筋（腺）を無意識に動かすときに働き，すなわち，分泌・呼吸・消化・循環など無意識に体の機能を調節して生命維持に働く神経である（図88）．

② 体性運動神経（動物運動神経）

　骨格筋を意識的に動かすときに働き，身体を環境に適応させる．

Ⅱ．関連用語

1．灰白質-皮質

中枢神経系の中の神経細胞が多数集合しているところが，肉眼的に灰色にみえる．この部分を灰白質という．大脳半球や小脳では表層が灰白質で被われており，特にその表層部分をそれぞれ大脳皮質・小脳皮質という．

2．白質-髄質

中枢神経系の中の神経線維（有髄）が多数集まったところで，肉眼的に白くみえる．この部分を白質という．大脳半球や小脳では内部が白質であり，それぞれを大脳髄質，小脳髄質という．

脳幹や脊髄では皮質と髄質は用いない．たとえば，脊髄では表層が白質で，深部が灰白質である．

3．神経核

中枢神経系において同種の神経細胞が集団をつくって点在しているところを神経核という．

1）起始核

運動核ともいい，命令（刺激）を末梢へ出す運動神経細胞の神経核である．

2）終止核

感覚核ともいい，末梢からの刺激が終止する感覚神経細胞の神経核である．

4．神経節

末梢神経系に存在する神経細胞体の集団を**神経節**（図89）という．

1）感覚神経節

偽単極神経細胞でつくられた神経節で，節内ではシナプスしない．

2）自律神経節（内臓神経節）

多極神経細胞でつくられた神経節で，節内でシナプスする．さらに交感性神経節と副交感性神経節の区別がある．

中枢にある起始核のニューロンと，神経節までの軸索を**節前ニューロン**または**節前線維**そして節内でシナプスした神経細胞とその軸索を**節後ニューロン**または**節後線維**という．

5．神経叢

末梢神経系で，異なる神経線維が互いにやりとりをして吻合し，網目状の構造をつくる．これを神経叢といい，そこから特定の支配目標（器官など）に向かう神経線維を出す．感覚神経，運動神経（自律神経を含む）にみられる．

III．脳

1．脳の区分

発生的には，神経管の頭側部分が膨隆して脳ができてくる．その膨隆を前から順に前脳，中脳，菱脳とよぶ．これらの脳は**図90**にみられるようにさらに分化，発達する．脳は大脳，小脳，間脳，中脳，橋，延髄に区分される．脳のうち大脳と小脳を除いた部分を脳幹といい，ここは生命を維持するのに不可欠な部分である（**図91**，**92**）〔カラーグラフ⑲〕．

2．延髄

延髄は脊髄のすぐ上にあり，前面には前正中裂がみられ，この裂の左右側には錐体が，さらに錐体の外側にオリーブとよばれる楕円形の隆起が，背面には菱形窩がある（**図93**，**94**）．

脳神経核は舌咽神経，迷走神経，副神経，舌下神経の核がある．機能は呼吸，心臓血管中枢，嚥下中枢など生命維持のための中枢がある．延髄，橋，中脳と間脳を含めて脳幹とよばれる．

3．橋

橋は中脳と延髄の間の前方に膨隆した部分で，橋の背側には第四脳室の底をつくっている菱形窩がある（図92，93）．脳神経核は三叉神経，外転神経，顔面神経，内耳神経の核がある．

4．中　脳

中脳は橋と小脳の上方に続く部分で，大脳と小脳に囲まれて外からみられない．大脳皮質から脊髄へ下行する神経（錐体路系，錐体外路系）の束よりなる．中脳は大脳脚，被蓋，中脳蓋（四丘体：上丘と下丘）

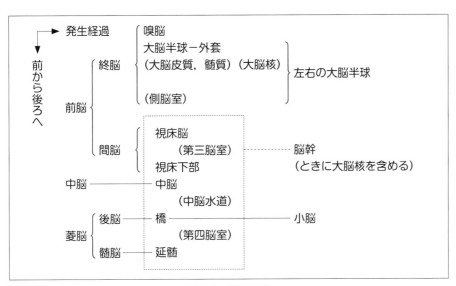

図90　脳の区分

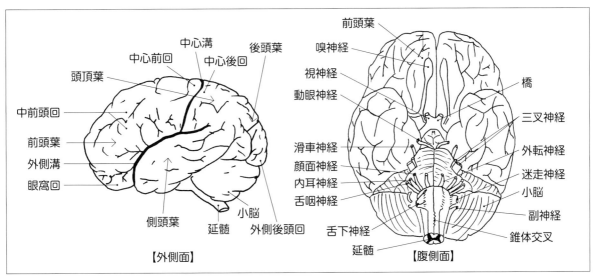

図91　脳の全景

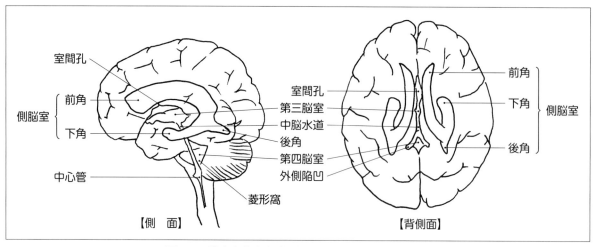

図92 脳室を大脳半球の側面と背側面へ投影した図

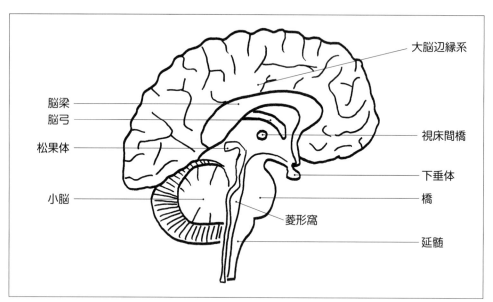

図93 脳の正中断面

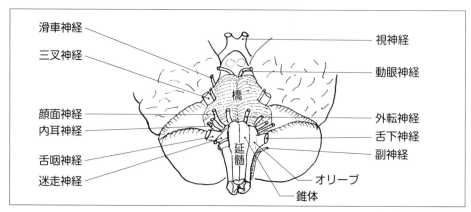

図94 延髄と橋の前面

からなる．脳神経核は動眼神経と滑車神経の核がある．また，歯科領域の深部感覚に関係する三叉神経中脳路核がある．

鉄分を含むため赤くみえる赤核，メラニン色素を含むため黒くみえる黒質がある．黒質は筋の緊張調節に関与するが，これが障害や変性によりパーキンソン病が起こる．

さらに，白質と灰白質が混在する網様体があり，網様体は橋と延髄まで続いている．機能は筋の緊張調節，視覚の反射中枢（上丘），聴覚の反射中枢（下丘）などである．

5．間 脳

間脳（**図95**）は中脳の前方に続き，背側から左右の大脳半球に挟まれ，大脳半球によって完全に覆われているので，脳底部の一部分以外は表面からはみえない．内部には第三脳室がある．その背側壁をなす広い灰白質を視床（視床脳）といい，それより下方で第三脳室の側壁と底部が視床下部である．視床には視覚・聴覚・味覚・触覚などの感覚情報の中継点があり，大脳皮質の活動にも影響を与えている．

1）視 床

第三脳室の側壁をつくり，卵円形の灰白質塊である．機能は，感覚神経の中継点，運動神経の中継点などである．すなわち，全身の皮膚や深部知覚の神経線維，小脳からの神経線維がここに集められ，新しいニューロンに乗り換える所である．乗り換えた後，神経線維は大脳皮質のそれぞれの中枢に向かっている．

2）視床下部

第三脳室の側壁と底部をつくり，底部から**下垂体**がぶら下がるようにある．機能は自律神経系における最高中枢として自律神経に指令をだしている．この中枢には摂食中枢，体温調節中枢があり，下垂体ホルモンの分泌調節などを行う．

6．小 脳

小脳は橋と延髄の背側に位置して，上から大脳半球が覆っている（図93）．容積は脳全体のほぼ1/10を占める．小脳の機能は錐体外路系に属し，内耳からの平衡覚や筋・腱・関節からの深部感覚（圧覚）などを受け入れて，全身の筋運動や筋緊張と平衡調節など自律的な運動を調整する．

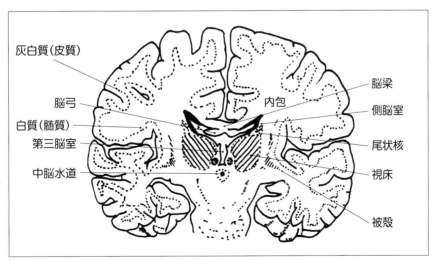

図95 間脳の前頭断（中脳と橋の高さ）

7．大　脳

　大脳は脳の最前部にあり，左右の大脳半球に分かれる．大脳半球は最もよく発達した部分で，中枢神経全体の重さの70％以上を占め，すべての神経路の最高中枢が存在する．

　左右の大脳半球の間 —— **大脳縦裂**（正中を縦に走る深い溝）

　左右の大脳半球の連絡 —— **脳梁**（強大な白質，神経線維の集団），終板，前交連，大脳核は大脳髄質の深部にある大きな灰白質の集団で数個存在する．

1）大脳辺縁系
—— 本能的な精神作用（恐れ・怒り・不安・興奮）を司る領域で，脳梁と大脳皮質のうち系統発生的に古い皮質（図92），すなわち海馬・脳梁灰白層・透明中隔・帯状回・大脳核の1つである扁桃体の一部など．

2）大脳半球

（1）外套

　大脳半球の表面には多数の大脳溝と，溝と溝との間に隆起した大脳回とよばれる部分がある．大脳半球の表面区分に必要である．大脳半球の表面区分は，①前頭葉，②頭頂葉，③後頭葉，④側頭葉，⑤島である．この区分は次の大脳溝が必要である．

　　a．**中心溝**：前頭葉と頭頂葉の間，すぐ前の回を中心前回，すぐ後ろの回を中心後回．
　　b．**外側溝**：前頭葉と側頭葉の間，深いこの溝を押しひろげると島がみえる．
　　c．**頭頂後頭溝**：頭頂葉と後頭葉の間，大脳縦裂面でよくわかる．

3）大脳皮質

　大脳皮質は灰白質からなり，脳の最高中枢である．組織学的には新皮質（等皮質）と旧皮質（不等皮質）に大別することができる．新皮質は6層からなり，その第5層にある大錐体細胞が錐体路の始まりとなる．ヒトの大脳皮質には140億〜150億個の神経細胞があるといわれているが，神経細胞の大きさや形状，配列は各皮質の部位によって異なる．機能においても，それぞれ異なった機能を営んでおり，これを機能の局在といい（**図96**）〔カラーグラフ⑲〕，きわめて重要である．

（1）大脳皮質におけるいろいろな中枢

①**体性運動中枢**：中心前回とその延長の大脳縦裂に面した大脳半球の内側面にある，随意運動に関係する最高中枢で，**図97**に示すように，この中枢の位置と身体の部位とは左右反対で，しかも上下が倒立した関係にある．

②**体性感覚中枢**：中心後回とその延長の大脳縦裂に面した大脳半球の内側面にある．表面感覚（触覚・痛覚・温度覚など）や深部・固有感覚（筋・腱・関節）の求心性神経路の最高中枢で，皮質運動中枢と同じく上下・左右が逆である．

③**視覚中枢**：後頭葉の大脳半球内面にある鳥距溝周辺にある．この中枢はただものをみるだけで，何をみているかは判断できない，それには視覚性連合野の働きが必要である．

④**聴覚中枢**：側頭葉の上面，外側溝に面する横側頭回にある．この中枢もただ音を聞くだけで，その音の判断はできない．それには聴覚性連合野の働きが必要である．

⑤**嗅覚中枢**：側頭葉の内側面にある．

⑥**味覚中枢**：詳細は不明で，嗅覚中枢の近く，または中心後回下部の顔面感覚領域にあるといわれる．

⑦**運動性言語中枢（ブローカ野）**：この中枢が故障すると運動性失語症，つまり筋そのものに異常はなく，咀嚼はできても発語ができなくなる．

⑧**聴覚性言語中枢（ウェルニッケ野）**：この中枢が故障すると感覚性失語症，つまり音は聞こえるが言語として理解できなくなる．解読不能な外国語を聞いているようなものである．

⑨**視覚性言語中枢**：この中枢が故障すると失語症になる．文字の形はみえるが文字のもつ意味がわからなくなる．欧米人が漢字をみているのと同じようになる．

⑩**総合中枢（連合野）**：前述した6つの中枢は運動または感覚そのものの中枢にすぎない．それらの中枢に別々に伝達されてきたさまざまな刺激や情報を統合・判断し，それに対して意志をもって行動を起こすという一連の作業を行う領域が，連合野（総合中枢いわゆる記憶中枢）である．総合中枢には視覚性連合野や聴覚性連合野のほかに言語中枢がある．

4）大脳髄質

大半が白質で，3種の神経線維からなる．

①**交連線維**：左右の大脳半球皮質を連絡する神経線維．脳梁は交連線維のうち最大の集束．

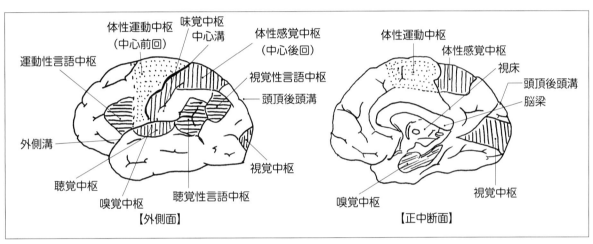

図96　大脳皮質の主な中枢の局在

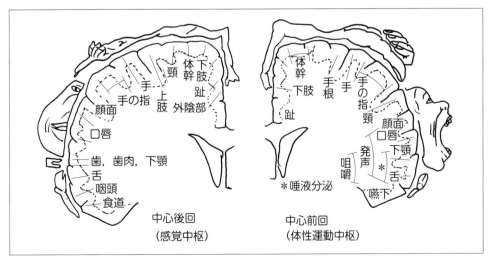

図97　大脳半球における局在を示す図

(Penfield & Rasmussen:The Cerebral Cortex of Man, 1950より改写)

②連合線維：同側半球内の皮質を連絡する神経線維．
　③投射線維：大脳皮質の神経細胞から出て他の部分，たとえば大脳核，脳幹，小脳や脊髄などへいくもの，あるいはその逆方向の連絡をする神経線維

5）大脳核

大脳髄質の中にある灰白質の集団である．以下の大脳核はすべて不随意運動を調節して，筋運動を円滑にするもので，錐体外路系に属しており，障害を受けると運動失調が起こる（パーキンソン病，舞踏病）．
　①**レンズ核**（被殻と淡蒼球）と前障：視床の外側にある
　②尾状核：視床を前・上・後ろから囲む
　③扁桃体：レンズ核の下にある
　④線条体：被殻と尾状核
　⑤**内包**（図95）：レンズ核と視床または尾状核との間の体性運動と感覚の神経路（投射線維にあたる）が通るきわめて重要なところで，ここに障害や出血が起こると半身不随などの結果を起こす．

8．神経路

中枢神経系の神経細胞は同一の機能や性質をもつものが集まり活動している．
　集団間の連絡路も，同じ性質の神経線維，たとえば感覚神経線維や体性運動神経線維が集まって束をつくる．このような神経線維の束を神経路（伝導路）とよんでいる．

1）交連および連合神経路

左右の脳および脊髄各部を連絡・統合する神経路で，高等動物ほど，しかも系統発生的に新しい部分（大脳半球など）ほど発達している．

2）投射神経路

（1）反射路（弓）

末梢からの刺激が大脳皮質を経由しないで，他の中枢を通って命令が末梢へ伝わる神経路である．代表的なものに脊髄反射があるが，脳神経にも反射路がある．たとえば，歯科領域では，硬い物をかんだとき，その硬さは歯周靱帯や顎関節に圧覚として伝わり，ついで咀嚼筋に対する運動神経線維への伝達が起こって筋の収縮が調節される．この反射中枢は中脳にあって，通常三叉神経中脳路核とよばれ，固有感覚（深部感覚）の伝導に関係している．その他，三叉神経に関連ある反射には，顎反射，角膜反射，涙腺反射，くしゃみ反射，嘔吐反射，嚥下反射などがある．

（2）上行性伝導路

皮膚の感覚（温覚，冷覚，痛覚，触覚，圧覚），深部感覚，味覚，嗅覚，平衡・聴覚，視覚の情報を大脳皮質に伝える神経の連鎖を上行性（求心性，感覚性）伝導路とよんでいる．約3個のニューロンが関与する．感覚の種類によって伝導路が異なる．
　①温覚・冷覚・痛覚の伝導路（脊髄神経を通る）
　　温覚・冷覚・痛覚の受容器→脊髄神経節→脊髄後根→同側の脊髄後角→反対側へ交叉→側索を上行→視床→内包→大脳皮質（中心後回）．
　②触覚・圧覚の伝導路（脊髄神経を通る）
　　触覚・圧覚の受容器→脊髄神経節→脊髄後根→同側の脊髄後索を上行→後索核（延髄下部）→反対側へ交叉→延髄・橋・中脳を上行（内側毛帯）→視床→内包→大脳皮質（中心後回）

③深部感覚（筋・腱紡錘）の伝導路（脊髄神経を通る）

筋・腱紡錘→脊髄神経節→同側の後索→胸髄の後角（胸髄核）→同側の側索を上行→延髄の下小脳脚→小脳→中脳（赤核）→視床→内包→大脳皮質（中心後回）．

④脳神経を通る皮膚の感覚の伝導路：ここでは三叉神経の伝導路を示す．

顔面の皮膚→三叉神経節→中脳の三叉神経中脳路核（深部感覚），橋の三叉神経主知覚核（触・圧覚）あるいは延髄の三叉神経脊髄路核（温・冷・痛覚）→視床→内包→大脳皮質（中心後回）．

(3) 下行性伝導路

大脳皮質から骨格筋に命令を伝える神経の連鎖を下行性（遠心性，運動性）伝導路とよんでいる．通常，大脳皮質から末端の骨格筋に達するまで2個のニューロンが関与する．この伝導路には錐体路と錐体外路がある．

①**錐体路**：骨格筋の随意運動を支配する通常の伝導路．

皮質運動中枢（中心前回）→内包→錐体を下行→錐体交叉→反対側の脊髄を下行→脊髄前角の多極神経細胞とシナプス→骨格筋．

②**錐体外路**：骨格筋の運動を不随意的に支配する伝導路．

大脳皮質に限らず，大脳核，視床，小脳，オリーブ核，中脳（赤核，黒質）など，錐体路以外のすべての運動中枢や神経核が関与する．錐体外路は，使えば使うほど伝導性がよくなり，筋運動がいっそう円滑になる．たとえば，ピアノやテニス，体操などで練習すればするほど上手になるのは錐体外路があるためであると考えられる．

9．髄　膜

脳と脊髄は骨のケース（頭蓋と脊柱）内に保護されているが，さらに結合組織性膜，つまり外から順に**硬膜**，**クモ膜**，**軟膜**という3層の髄膜で覆われている（**図98**）．

1）（脳）硬膜

脳硬膜は厚くて強靭な膜で内外2葉からなる．外葉は頭蓋骨の内面の骨膜と癒着する．部分的に2葉間は離れて静脈血を入れる空洞，硬膜静脈洞ができている．脊髄硬膜は基本的には脳硬膜と同じで，内外2葉からなる（**図99**）．

2）（脳）クモ膜

硬膜の内方にある血管を含まない薄い膜で，その表面から多数の突起が内方にでて，軟膜と網状に連ねられている．網目の空隙をクモ膜下腔といい，脳脊髄液で満たされている．また多数の粟粒大の突起が硬膜静脈洞内に突出しており，これをクモ膜顆粒といい，脳脊髄液を静脈洞へ導く．クモ膜下腔は第四脳室正中口と外側口を介して脳室系と交通する．

3）（脳）軟膜

クモ膜の内方の血管に富む薄い柔らかな膜で，脳表面に密着し，すべての脳表面の溝内にも入り込む．

10．脳　室

脳室（図92）には脈絡叢という血管の塊のような特殊な組織があって，そこから無色透明な脳脊髄液（または髄液）とよばれる一種のリンパが分泌され，脳室を満たしている．さらには第四脳室正中口と左右の外側口を通じて，クモ膜下腔に出て脳・脊髄の表面を包み，脳・脊髄を保護する．脳脊髄液はクモ膜顆粒を介して硬膜静脈洞に排出される（図98）．

Ⅳ. 脊　　髄

　脊髄は，環椎上縁の高さから第1ないし第2腰椎まで脊柱管の中に位置し，直径1.2cm，長さ40〜46cmの白くて細長い円柱状である．脊髄の全長は脊柱管のそれより短く，下端の脊髄円錐はほぼ第2腰椎の高さにあって，脊髄円錐より下部からの根糸は集合して馬尾をつくる．脊髄の頸部および腰部は太くなっており，それぞれ頸膨大（最大部は第6頸髄），腰膨大（最大部は第4腰髄）という．前者からは上肢に，後者からは下肢に分布する**脊髄神経**が出るため，神経細胞の数が脊髄の他の部分より多いからである．

1．脊髄の横断面

　脊髄の前面に**前正中裂**，後面に浅い**後正中溝**がみられる．これらの溝から外側方に離れて，前面から脊

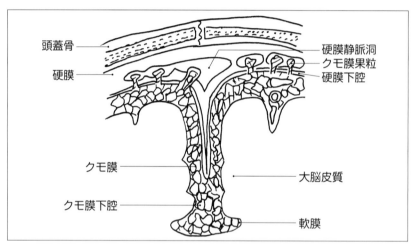

図98　髄膜の構造

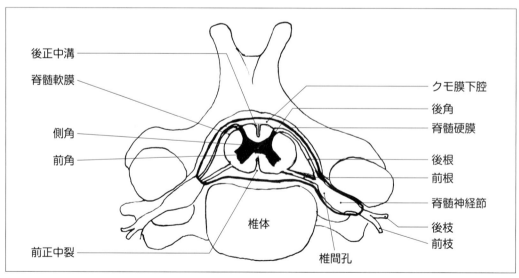

図99　脊髄・脊柱管の横断面

髄神経の前根が，後面から後根が出入する．**中心管**が中心にあり，灰白質が中心管の周りにH字状に囲み，白質がさらにその周りを覆っている（**図100**）．

1）灰白質

灰白質は多数の神経細胞からなる．次の3つに区別される．

①**前角**（前柱）：H字状の部分の前方部分で，運動神経ニューロン（前角細胞）が集まっている．

②**側角**（側柱）：外側の突出部で自律運動神経細胞が集まっている．頸髄から腰髄までの側角の自律神経細胞は交感神経細胞で神経線維は前根を経て，椎間孔から出ると上下で連なり，脊柱両側に縦に連なる交感神経幹神経節を形成し，新しく節後ニューロンとシナプスしてから直接末梢の器官に向かう．しかし，仙髄部の側角には副交感神経細胞が多く集まっている．

③**後角**（後柱）：後ろに出た部分で，感覚神経細胞（後角細胞）が集まっており，皮膚や筋など末梢からの感覚性神経線維が後根を経てここに達する．

2）白　質

白質は縦走する多数の神経線維からなり，重要な上行・下行する神経路となっている．次の3つに区別される．

前索：前根と前正中裂との間で，錐体路という重要な運動性の神経路（下行性神経路）が通る．

側索：前根と後根との間で，表層は上行性神経路，深部は下行性神経路である．

後索：後根より後方の部分で，重要な感覚性の神経路（上行性神経路）が通っている．

前角と側角から出る神経線維は合して，脊髄神経の前根を形成し，後角から出る神経線維は合して後根を形成し，椎間孔のすぐ内側で脊髄神経節（感覚性）を形成する．前根と後根は椎間孔を出たところで1本に合して脊髄神経を形成する．

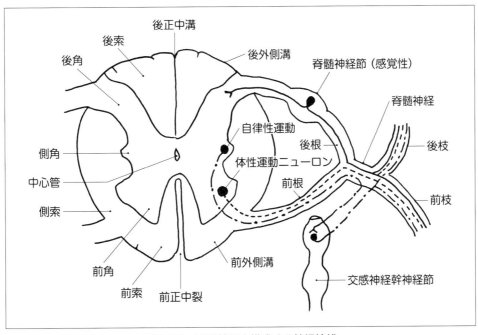

図100　脊髄神経を構成する神経線維

Ⅴ．末梢神経系

末梢神経系とは，脳および脊髄に出入りする神経系統で，中枢神経系にある諸中枢と身体末梢とを連絡する伝達路の役目を果たしている．脳神経と脊髄神経から構成される．

1．脳神経（12対）

脳神経（**図101**，**表15**）は，脳に出入りする位置によって前から順に番号がつけられている．脳神経の種類からみると，体性感覚神経と体性運動神経が，①それぞれ単独，②または両者を含み，③さらには副交感神経をも含んでいる．

1）第Ⅰ脳神経／嗅神経

感覚神経，嗅覚を司る．篩骨の篩板を貫いて，鼻腔の粘膜の嗅部に分布する．

2）第Ⅱ脳神経／視神経

感覚神経，視覚を司る．蝶形骨の視神経管を通って眼窩に入り，眼球に分布する．

3）第Ⅲ脳神経／動眼神経

運動神経と副交感神経からなる．上眼窩裂から眼窩に入る．運動神経は上眼瞼挙筋，上直筋，下直筋，内側直筋，下斜筋を支配する．副交感神経は瞳孔括約筋，毛様体筋を支配する．副交感性の毛様体神経節をもつ．

4）第Ⅳ脳神経／滑車神経

運動神経からなる．上眼窩裂を通って眼窩に入る．運動神経は上斜筋を支配する．

5）第Ⅴ脳神経／三叉神経

感覚神経，運動神経からなる．感覚神経は顔面の皮膚，口腔，舌前2/3（味覚は除く），鼻粘膜，眼球などを支配する．運動神経は咀嚼筋を支配する．頭蓋腔内で感覚性の三叉神経節をつくった後，下記の3つの神経に分かれる（**表16**）．

①眼神経（三叉神経第1枝／V_1）

上眼窩裂から眼窩に入る．感覚神経からなり，前頭部と鼻背の皮膚，上眼瞼の皮膚と結膜，眼球，鼻粘膜を支配する．副交感性の毛様体神経節をもつ．

②上顎神経（三叉神経第2枝／V_2）（**図102**）

蝶形骨の正円孔から頭蓋の外に出る．感覚神経からなり，側頭部と頬部の皮膚，上唇の皮膚，上顎の歯髄，歯肉，歯根膜，歯槽骨，硬口蓋，軟口蓋，下眼瞼の皮膚と結膜，鼻翼を支配する．副交感性の翼口蓋神経節をもつ．

③下顎神経（三叉神経第3枝／V_3）（**図103〜105**）

蝶形骨の卵円孔から頭蓋の外に出る．感覚神経，運動神経からなる．感覚神経は頬部の皮膚，側頭部と耳介前面の皮膚，オトガイと下唇の皮膚，舌前2/3，下顎の歯髄，歯肉，歯根膜，歯槽骨を支配する．運動神経は咀嚼筋，顎二腹筋前腹，顎舌骨筋，口蓋帆張筋，鼓膜張筋を支配する．副交感性の耳神経節と副交感性の顎下神経節をもつ．

④バレー三圧痛点

三叉神経の3枝の末梢がそれぞれ顔面に出るところ，すなわち眼窩上孔（眼神経の眼窩上神経），眼窩下孔（上顎神経の眼窩下神経），オトガイ孔（下顎神経のオトガイ神経）の3点が一直線上にならん

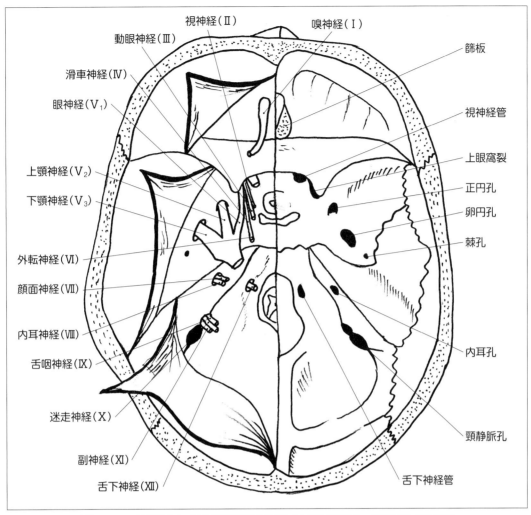

図101　内頭蓋底における脳神経の位置（左側は硬膜を一部剥がしている）

表15　脳神経の性質

脳神経番号と神経名	線維の性質
第Ⅰ脳神経／嗅神経	感覚性（嗅覚）
第Ⅱ脳神経／視神経	感覚性（視覚）
第Ⅲ脳神経／動眼神経	体性運動性 副交感性
第Ⅳ脳神経／滑車神経	体性運動性
第Ⅴ脳神経／三叉神経 　眼神経　（V₁） 　上顎神経（V₂） 　下顎神経（V₃）	 感覚性 感覚性 ｛感覚性 　体性運動性
第Ⅵ脳神経／外転神経	体性運動性

脳神経番号と神経名	線維の性質
第Ⅶ脳神経／顔面神経 　（十中間神経）	体性運動性 ｛副交感性 　感覚性（味覚）
第Ⅷ脳神経／内耳神経	感覚性（平衡・聴覚）
第Ⅸ脳神経／舌咽神経	感覚性（味覚を含む） 体性運動 副交感性
第Ⅹ脳神経／迷走神経	副交感性 体性運動性 感覚性（味覚を含む）
第Ⅺ脳神経／副神経	体性運動性
第Ⅻ脳神経／舌下神経	体性運動性

でいる．

6）第Ⅵ脳神経／外転神経

運動神経からなる．上眼窩裂から眼窩に入る．運動神経は外側直筋を支配する．

7）第Ⅶ脳神経／顔面神経（＋中間神経）

運動神経，感覚神経，副交感神経からなる．側頭骨の内耳孔から入り，顔面神経管を通り，茎乳突孔

表16　上下顎の歯を中心とした三叉神経分枝の分布

上顎	鼻口蓋神経	大口蓋神経			舌側歯肉
	前上歯槽枝	中上歯槽枝		後上歯槽枝	歯
	上　歯　神　経　叢				
	眼窩下神経	後上歯槽枝		（頬神経）	頬側歯肉
	1　　2	3　　4	5	6　　7　　8	
下顎	オトガイ神経	頬神経		下歯肉枝	頬側歯肉
	下　歯　神　経　叢				歯
	切歯枝	小臼歯枝	臼歯枝	臼後枝	
	舌神経			下歯肉枝	舌側歯肉

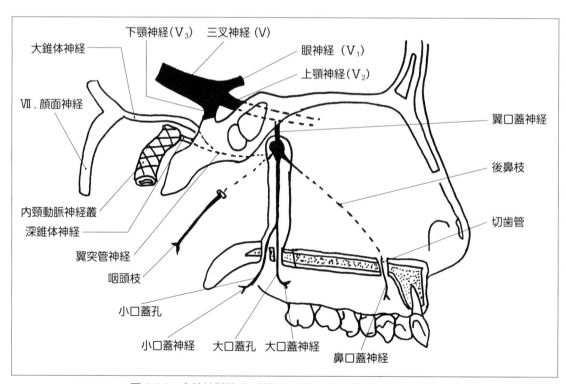

図102　鼻腔外側壁（口蓋管を開削，嗅神経，翼口蓋神経節）

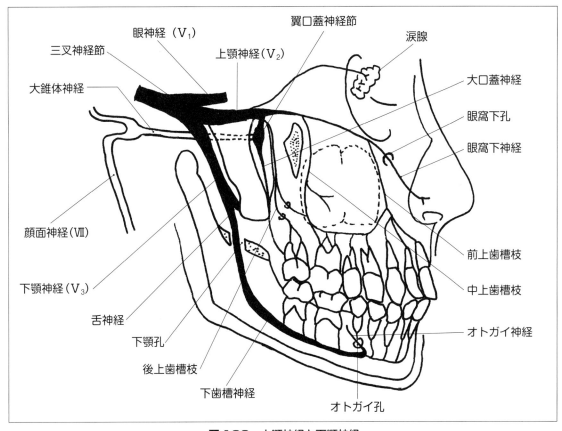

図103 上顎神経と下顎神経

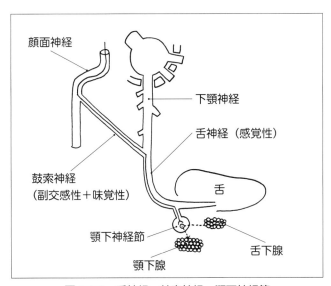

図104 舌神経，鼓索神経，顎下神経節

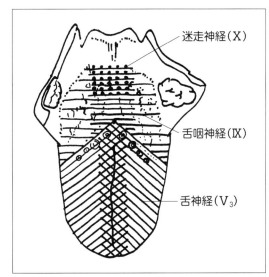

図105 舌の感覚神経分布

から頭蓋の外に出る（図106，107）．運動神経は狭義の顔面神経ともいう．感覚神経と副交感神経を中間神経ともよぶ．運動神経は表情筋を支配する．感覚神経は舌前2/3の味覚を司る．副交感神経は涙腺，顎下腺，舌下腺，口蓋腺，鼻腺を支配する．感覚性（味覚）の膝神経節をもつ．

8）第Ⅷ脳神経／内耳神経

感覚神経，聴覚と平衡覚を司る．側頭骨の内耳孔から入り，内耳道底で，前庭神経と蝸牛神経に分かれる．前庭神経は前庭の平衡斑と半規管を，蝸牛神経は蝸牛のラセン器を支配する．前者は内耳道底で前庭神経節を，後者は蝸牛の中でのラセン神経節をもつ．

9）第Ⅸ脳神経／舌咽神経

運動神経，感覚神経，副交感神経からなる．頸静脈孔を通って頭蓋腔外に出る．運動神経は茎突咽頭筋，軟口蓋の筋，咽頭上部の筋を支配する．感覚神経は舌後1/3の感覚と味覚を司る．副交感神経は耳下腺を支配する．感覚性の上神経節と下神経節をもつ．

10）第Ⅹ脳神経／迷走神経

運動神経，感覚神経，副交感神経からなる．頸静脈孔を通って頭蓋腔外に出る．運動神経は咽頭下部の筋，喉頭の筋を支配する．感覚神経は舌根部の感覚と味覚を司る．副交感神経は心臓，食道，気管，肺，小腸から横行結腸，肝臓，膵臓，腎臓を支配する．感覚性の上神経節と下神経節をもつ．

11）第Ⅺ脳神経／副神経

運動神経からなる．頸静脈孔を通って頭蓋腔外に出る．運動神経は胸鎖乳突筋と僧帽筋を支配する．

12）第Ⅻ神経／舌下神経

運動神経からなる．後頭骨の舌下神経管を通って頭蓋腔外に出る．運動神経は舌筋（p.40の表7参照）とオトガイ舌骨筋を支配する．

〔顎・顔面の神経支配：カラーグラフ⑳〕

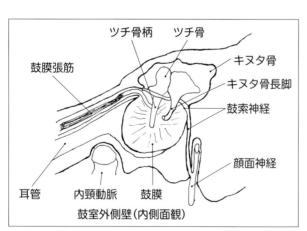

図106　顔面神経，中間神経，膝神経節（右側）

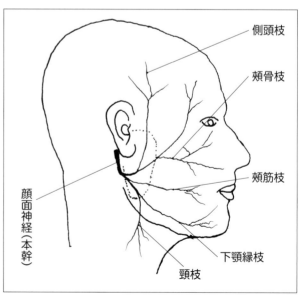

図107　顔面神経（体性運動性ニューロン）の分布（左側）

2．脊髄神経

脊髄神経は 31 対からなる（**図 108**）．

1）脊髄神経の構成

脊髄の前外側溝から出る前根と，後外側溝に入る後根とからなる．後根は椎間孔内で脊髄神経節（感覚性）をつくり，その末梢枝は運動神経の前根と椎間孔の中で合流して 1 本の脊髄神経となる．さらに脊髄神経は幹神経節（交感神経）へ交通枝を出した後，前枝と後枝に分かれる．一般に脊髄神経の後枝は前枝よりも発育が悪い．後枝は体幹背側に回って後体壁に分布するだけである．前枝は前体壁内を前正中線へ向かい，前体壁と体肢に分布する．なお特定の前枝は分岐し，たがいに吻合して脊髄神経叢をつくる．

2）脊髄神経（31 対）の分類と神経叢

頸神経（8 対，第 1 ～第 8 頸神経／ C_1 ～ C_8）
　　⟶ 頸神経叢（第 1 ～第 4 頸神経／ C_1 ～ C_4）
　　⟶ 腕神経叢（第 5 頸神経～第 1 胸神経／ C_5 ～ Th_1）→上肢

上位の頸神経（C_1 ～ C_4）の前枝の 4 枝は頸神経叢をつくり，下位（C_5 ～ C_8）の 4 枝は第 1 胸神経とともに腕神経叢をつくる．

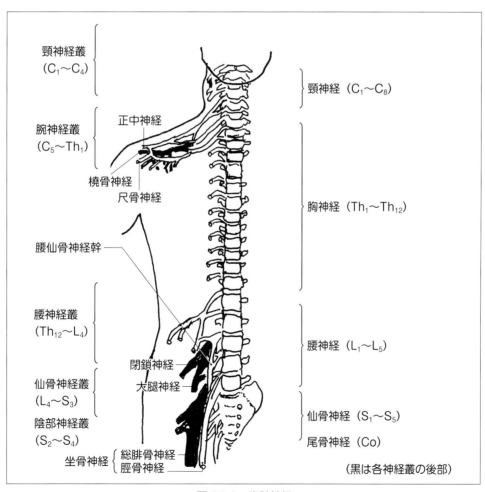

図 108　脊髄神経

3）胸神経（12対，第1～胸神経／Th_1～Th_{12}）
　　→ 神経叢を形成しない
　腰神経（5対，第1～第5腰神経／L_1～L_5）
　　→ 腰神経叢（第12胸神経～第4腰神経 Th_{12}～L_4）
　仙骨神経（5対，第1～第5仙骨神経／S_1～S_5）
　　→ 仙骨神経叢（第4腰神経～第3仙骨神経／L_4～S_3）→下肢
　　→ 陰部神経叢（第2～第4仙骨神経／S_2～S_4）
　尾骨神経（1対，Co）
　　→ 尾骨神経叢（第4仙骨神経～尾骨神経／S_4～Co）

3．自律神経系

　自律神経は運動神経の一種で，器官（例；心臓，血管，内臓，腺）を不随意的に支配し，それらの働きをコントロールする（**図109**）．形態からいえば，自律神経は中枢神経と支配する器官との間に，2個のニューロンが縦に連なった運動神経である（図89）．経路は特定の脳神経とすべての脊髄神経に混じって末梢に向かう．自律神経は交感神経と副交感神経とで構成され，両者の機能はたがいに拮抗的である．

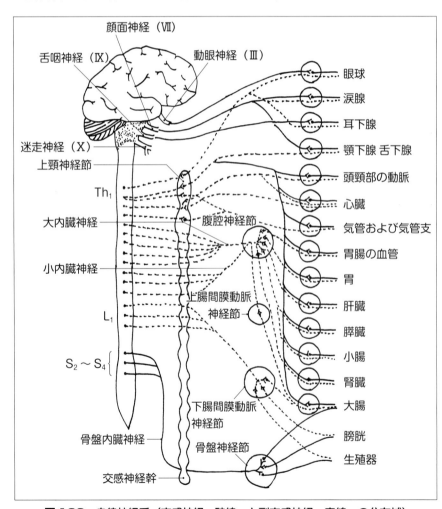

図109 自律神経系（交感神経―破線―と副交感神経―実線―の分布域）

第 11 章　感覚器系

Ⅰ．基 礎 知 識

　外界からの刺激や身体内部から生じる刺激を**受容器**（感覚器）で受ける．刺激を受けた受容器には神経がきており，刺激は神経を通じて脳に伝えられ，大脳で刺激を認知する．このような受容器は鼻，眼，耳，舌にあり，それぞれからの刺激は嗅覚，視覚，平衡・聴覚，味覚として大脳で認識される．これらの感覚を特殊感覚という．

　外皮（皮膚）には，触覚，圧覚，温・冷覚，痛覚を司る受容器があり，これらは皮膚（表面）感覚ともいう．筋肉・腱・関節にある受容器からの感覚は深部感覚と言い，内臓にある受容器からの感覚は内臓感覚という．さらに，皮膚と筋の感覚を体性感覚ともいう．

　味覚器は第4章 消化器系の味蕾（p.39）を，**嗅覚器**は第5章 呼吸器系の嗅部（p.52）を，それぞれを参照する．したがって，本章では**視覚器**，**平衡・聴覚器**について記述する．

Ⅱ．視覚器（眼）

視覚器は頭蓋の眼窩内にあり，次のように構成されている（**図110**）．
①眼 —— 眼球，視神経
②眼球付属器 —— 眼筋，眼瞼，結膜，涙器

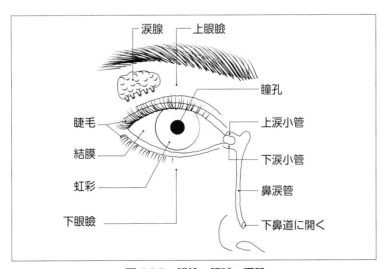

図 110　眼瞼・眼球・涙器

1. 眼　球

1）形　態

眼球は球体（径約23mm）で、その周囲は脂肪組織によって包まれ、眼窩の中で可動性をもっている。眼球の前半部と後半部に分ける線を赤道といい、前端と後端をそれぞれ前極、後極という。両極を結んだ前後の線を眼球軸といい、視軸と一致する。

2）構造と機能

眼球は3層（**表17**）の膜からなる。それぞれの膜は、外側から内側へ向かって**眼球線維膜、眼球血管膜、眼球内膜（網膜）**という。眼球内には**水晶体、眼房、硝子体**を入れている（**図111**）。

(1) 眼球線維膜

①**角　膜**── 眼球前方1/6を占め、前方に突出する透明な膜である。角膜（厚さ0.5〜1mm）は、外から内方へ角膜上皮（重層扁平上皮）、前境界板、角膜固有質、後境界板、角膜内皮（単層扁平上皮）からなり、いずれも透明な層からできている。角膜上皮や角膜固有質には血管はないが、眼神経が分布している。

②**強　膜**── 角膜に続き眼球の後方5/6を包む強靭な線維膜である。強膜の前方は結膜によって覆われ、その後方外面には眼筋が停止する。

(2) 眼球血管膜

①**脈絡膜**── 脈絡膜は強膜との間で剥がれやすく、色素細胞に富む黒褐色の層で、瞳孔以外から眼球内へ入る光を遮断し、散乱するのを防いでいる。この膜は血管が豊富である。

表17　眼球壁

		前半部	後半部
外　膜	眼球線維膜（眼球外膜）	角膜（前1/6）	強膜（後5/6）
中　膜	眼球血管膜（眼球中膜）	毛様体，虹彩	脈絡膜
内　膜	網膜（眼球内膜）	網膜色素上皮層　網膜：視部，虹彩部，毛様体部	

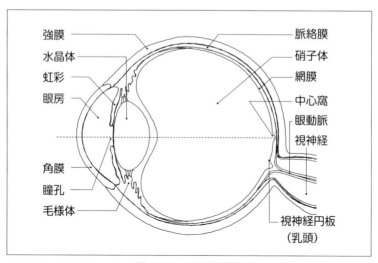

図111　眼球の構造

②**毛様体**──眼球血管膜の前端が，虹彩の基部で肥厚して内方に伸びた部分である．毛様体は水晶体の周囲を取り囲んでおり，水晶体に向かって毛様体（チン）小帯という多数の細い線維が付着して水晶体を支えている．毛様体内には毛様体筋（平滑筋）があり，これが水晶体の彎曲率（膨らみ）を調節して，焦点の位置を変えている．

③**虹　彩**──虹彩は毛様体から水晶体の前面に輪状に突出した膜で，中央に**瞳孔**（直径約3〜6mm）という穴が開いている．この瞳孔を拡大・縮小して光の入る量を調節している．虹彩内には平滑筋でできた瞳孔括約筋と瞳孔散大筋があり，前者は副交感神経（動眼神経）の支配を受けて瞳孔を縮小し，後者は交感神経の支配を受けて瞳孔を拡大する．虹彩の色は色素細胞と色素上皮の中に含まれるメラニン色素の量によって黒，茶，緑，青となり，いわゆる"ひとみ"の色が異なる．

(3) 眼球内膜（網膜）

網膜は光を感じる膜で，外周に色素上皮層が密接している．光は**網膜視部**で感じとるが，網膜毛様体部と網膜虹彩部は光を感受できない．網膜視部は毛様体より後方の部分で，視神経が眼球に入るところ（後極より下内側方1.5mm）は**視神経円板**（乳頭）を形成し，この部では網膜を欠き，これを盲斑（盲点）という．その外側約4.5mmに黄色色素（カロチノイド）を含む黄斑があり，**中心窩**（直径約0.3mm）を形成している．中心窩は最も明瞭にものをみることができる．

(4) 水晶体，硝子体，眼房

①**水晶体**──透明な細胞でつくられ，弾性がある．水晶体の全周縁は**毛様体小帯**によって毛様体と結合する．

②**硝子体**──水晶体と網膜の間にあり，無色透明の粘稠な液で眼球容積の4/5を占める．

③**眼　房**──角膜から硝子体までの間で，毛様体，水晶体，虹彩の隙間を眼房という．眼房は中に透明な眼房水を入れており，虹彩を境にして前眼房と後眼房に分けられる．実際には，角膜，水晶体，前眼房で複合レンズとなっている．眼房水は角膜，水晶体の栄養に関わる．

(5) 網膜の構造

網膜は厚さ約0.3mm，10層構造からなる．光は**図111**のように通過して伝導される．したがって，光はこれら10層を通過してから結像する．光を感じる**視細胞**には**杆状体視細胞**と**錐状体視細胞**があり，杆状体視細胞が明暗の識別に関与し，錐状体視細胞が色彩の感受に関与する．中心窩では錐状体視細胞のみで，この部分が最もよくみえる．網膜には網膜中心動脈（眼動脈の枝）が分布している．網膜に広がる血管網は眼底検査に使われる．

2．視神経（第Ⅱ脳神経）

第10章 神経系を参照（p.94）．

3．眼　筋

表18と**図112**，**113**を参照．

4．眼瞼と結膜

眼球前面には上眼瞼と下眼瞼という皮膚のヒダがあり，眼球を保護している．上・下眼瞼の間を眼裂，その内側端を内眼角，外側端を外眼角という．上眼瞼には上眼窩縁に沿って眉毛があり，上眼瞼内には上

眼瞼挙筋があり，眼裂を開ける．両眼瞼の中には眼輪筋があり，上下の眼瞼を閉じる．眼瞼縁には睫毛があり，**睫毛腺**（アポクリン汗腺）が開口している．眼瞼の芯は硬い結合組織で瞼板といい，中に**瞼板腺**（マイボーム脂腺）が縦に並び，導管が眼瞼縁に開口し，涙が皮膚側に流出するのを防いでいる．眼瞼内面は結膜（重層円柱上皮）が覆う．結膜は眼球前面を覆う眼球結膜（白目のところ）と眼瞼後面を覆う眼瞼結膜に分かれ，両者の移行部を上および下結膜円蓋という．

5．涙 器

涙器は**涙腺，涙小管，鼻涙管**からなる（**図112**）．

涙腺は眼窩の上外側方に位置する漿液腺で，導管は上結膜円蓋の外側部に開いている．分泌された涙は，結膜を上外側方から下内側方に斜めに横切って，角膜全面を浸潤して内眼角にある上・下涙小管（入口は涙点）に入る．さらに，鼻涙管を経て鼻腔の下鼻道に開いている．

Ⅲ．平衡・聴覚器（耳）

耳は**外耳，中耳，内耳**の3部分から構成される（**図114**）．耳は音を聴くだけでなく，身体が空間に

表18　眼筋

筋の名称	眼球の運動方向	支配神経
外側直筋	外側方へ	外転神経（Ⅵ）
内側直筋	内側方へ	動眼神経（Ⅲ）
上 直 筋	上方でやや内方へ	動眼神経（Ⅲ）
下 直 筋	下方でやや外方へ	動眼神経（Ⅲ）
下 斜 筋	外上方へ	動眼神経（Ⅲ）
上 斜 筋	外下方へ	滑車神経（Ⅳ）

※眼球眼筋と眼窩骨膜の間は眼窩脂肪体によって満たされている．

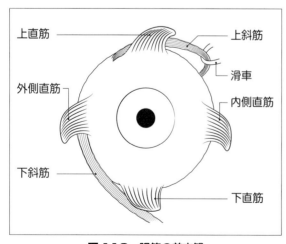

図112　眼筋の前方観

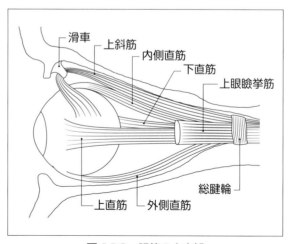

図113　眼筋の上方観

おいてどの方向に動いたか，また地球の重力の方向に対してどのような位置にあるかを感知している．

1．外 耳

外耳には集音する耳介と音の通路である**外耳道**がある．耳介は弾性軟骨の耳介軟骨を持ち，これに退化した7個の耳介筋が付着している．耳介で軟骨がない部分は耳垂という．外耳道（長さ約25mm）は**外耳孔**から後上方へS状に彎曲して鼓膜に達する．外耳道の外側1/3は軟骨性外耳道で，内側2/3は側頭骨中にある骨性外耳道である．

2．中 耳

鼓膜，**鼓室**，**耳管**からなり，それに**耳小骨（ツチ骨，キヌタ骨，アブミ骨）**と耳小骨筋が付属する．

1）鼓 膜

外耳道と鼓室の境界をなす卵円形の薄い結合組織性膜で（直径約9mm，厚さ0.1mm），前下方に傾いている．鼓膜は外からの音（空気の振動）を受ける浅い凹みがある．

2）鼓 室

側頭骨（錐体部）の中にある空洞を鼓室といい，中に耳小骨を入れ，耳管を経て咽頭（耳管咽頭口）に通じている．下記のように，鼓室は6つの壁によってつくられていると考えられる．

①鼓膜壁（外側壁）—— 外耳道床にあたる鼓膜がある．鼓膜にはツチ骨と，これに関節するキヌタ骨がある．両骨の間を鼓索神経が横切る．
②室蓋壁（上壁）—— 鼓室蓋を隔てて（脳）硬膜がある．
③頸静脈壁（下壁）—— 頸静脈孔の中を通る内頸静脈に接近する．
④頸動脈壁（前壁）—— 内頸動脈が通る頸動脈管に接近し，その上方に耳管が開く．
⑤乳突壁（後壁）—— 側頭骨の乳様突起で，この上部を乳突洞といい，後下方に乳突蜂巣が続く．
⑥迷路壁（内側壁）—— 内耳の骨迷路の外側壁でもあり，中央には隆起した岬角があり，中に蝸牛の

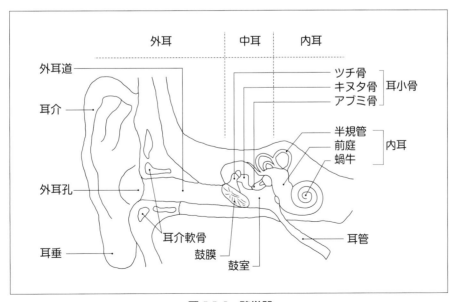

図114 聴覚器

第1回転を入れ，その表面を鼓室神経が上方へ通過する．岬角の上方に卵円形の**前庭窓**があり，内耳の前庭に通じ，ここにアブミ骨がはまっている．岬角の後下方には円形の**蝸牛窓**があり，結合組織性の第2鼓膜を隔てて蝸牛ラセン管の鼓室階につづいている．

3）耳　管

耳管は長さ約33mmで，鼓室の**耳管鼓室口**と咽頭の**耳管咽頭口**（p.43，図48）を結んでいる管である．通常，耳管は閉じているが，食物を飲み込むときに開いて空気を出入させ，鼓室内圧を大気圧と同じに保つ．これによって鼓膜が振動しやすい状態になる．耳管が開かないと，鼓室が陰圧となり鼓膜が陥凹して，耳がツンとする違和感が起こる．

4）耳小骨・耳小骨筋

鼓膜側からツチ骨，キヌタ骨，アブミ骨の順に連結（関節）している．音は鼓膜から機械的振動として，耳小骨を経て前庭窓まで伝わり，この振動は耳小骨によって増幅される．

耳小骨には**耳小骨筋（鼓膜張筋・アブミ骨筋）**が付着している．鼓膜張筋（下顎神経支配）はツチ骨に停止し，鼓膜を緊張させる．アブミ骨筋（顔面神経支配）はアブミ骨に停止し，アブミ骨底を外方へ引っ張って音の伝達を制限させる．すなわち，両筋によって鼓膜からアブミ骨への振動を調節し，内耳に強い刺激が加わらないようにしている．

3．内　耳

内耳には聴覚と平衡覚を司る骨迷路と膜迷路がある．これらは，側頭骨岩様部内にあり，管と嚢が複雑な形態を呈している．管と嚢は単層扁平上皮からなり，これを膜迷路という．膜迷路を囲む同じような形をした骨の管や小室を骨迷路という．骨迷路と膜迷路との間の外リンパ隙には外リンパを，膜迷路の内部には内リンパをそれぞれ入れている．迷路は前庭・半規管・蝸牛からなる．

1）膜迷路

内耳の中央の部分は**前庭**といい，**卵形嚢**と**球形嚢**と呼ばれる袋がある（**図115**）．前庭の側壁にある前庭窓は鼓室に接し，卵形嚢は**前・後・外側半規管（三半規管）**と，また球形嚢は**蝸牛管**と続いている．

(1) 卵形嚢，球形嚢

卵形嚢（水平位）と**球形嚢**（垂直位）は耳に直角な方向に向く平衡斑を1個ずつもっている．ここには有毛の感覚上皮が並び，その上面の皿状のところに平衡砂を乗せている．傾斜することによって垂直力に対する絶対的位置感覚を知る．

(2) 前，後，外側半規管

前，後，外側半規管は互いに直角方向に並び，その脚部で連結する（図115）．それぞれは1つずつ膨大部を有し，ここに平衡毛を有する感覚上皮が内腔に突出している．身体に加速が加わると，内リンパの慣性によって平衡毛が傾き，加速による相対的位置感覚を知る．これらの感覚細胞には内耳神経（Ⅷ）の前庭神経が分布する．

(3) 蝸牛管

蝸牛管は骨ラセン板を頂点とし，伸展すると三角柱状の管で，前庭階壁（前庭膜），外壁（ラセン靱帯）と鼓室階壁（ラセン膜）がある（**図116**）．特に鼓室階壁には内腔に向かって**ラセン器（コルチ器）**があり，この器で音を感じる．ラセン器の構造は骨ラセン板からラセン靱帯の間にラセン膜があり，その上に3列の**有毛細胞**が並んでいる．さらに骨ラセン板からこの毛の先端に覆い被さるように蓋膜が伸びてい

る（**図118**）．

2）骨迷路

骨迷路は膜迷路の卵形嚢と球形嚢を包む前庭，半規管を包む骨半規管，蝸牛管を包む蝸牛の3部に分けられる．蝸牛は蝸牛軸の周りを蝸牛ラセン管が約 $2\frac{2}{3}$ 回転し，前に前庭階，中央に蝸牛管，後ろに鼓室階がある．前庭階は前庭窓から蝸牛頂で鼓室階に移り第2鼓膜のある蝸牛窓で終わる．音（振動）もこの順序で通過し，途中ラセン膜が共鳴して感覚細胞が振動を起こし，この毛の先端が蓋膜と接触させることによって音を感じる．この感覚細胞に蝸牛神経〔内耳神経（Ⅷ）の構成神経〕が分布している．

Ⅳ．外　皮

外皮（系）は体表を覆うものをいう．具体的には，皮膚，毛，爪，皮膚腺（汗腺，脂腺，乳腺）などである．

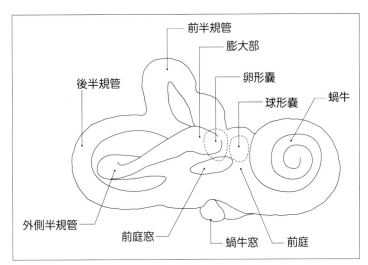

図115　膜迷路と三半規管

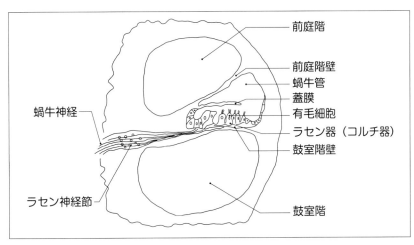

図116　蝸牛管の横断面

1. 皮　膚

　全身を覆う皮膚は，身体内部を保護しているだけでなく，痛覚・触覚・温覚・圧覚などの感覚器を通じて外界の情報を受取る．さらに，体温の調節，栄養の貯蔵などの働きがある．皮膚の付属器官として**毛**，**爪**，**汗腺**，**脂腺**がある．

　皮膚の総面積は成人で約1.6㎡，重さは約9kgである．火傷などによって皮膚の3/4が失われると死亡するといわれている．皮膚の厚さ，硬さ，色，移動性，弾性などの性質や，毛の分布状態は部位によって異なり，遺伝的にも決定されており，他の部位に移植してもその性質は保持される．また，手掌と足底には規則的な隆起と溝がみられ，これを**紋理（指紋・掌紋・足底紋）**という．紋理は個体差があり，個体識別に用いられる．

1）構　造

　外胚葉性の表皮と中胚葉性の真皮，皮下組織の3層からなる（**図117**）．

(1) 表　皮

　表皮は角化重層扁平上皮である．深層から**基底層（胚芽層）**，**有棘層**，**顆粒層**，**淡明層**，**角質層**に分けられる．顆粒層と淡明層を合わせて**中間層**と呼ぶことがある．角質層は**ケラチン**（タンパク質の一種）を含み抵抗性が強い．

(2) 真　皮

　真皮は密線維性結合組織である．乳頭には毛細血管球や神経終末装置を入れている．真皮にはメラニン色素細胞があり，人種や部位によってその量が異なる．

(3) 皮下組織

　皮下組織は疎線維性結合組織である．脂肪組織が豊富で，保温と栄養貯蔵に関与している．真皮との明瞭な境界はない．皮下組織の厚さも部位，性別，年齢によって異なる．

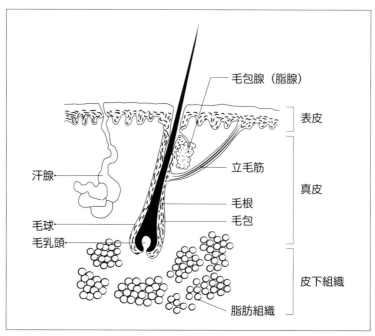

図117　皮膚の組織構造

2）神 経

(1) 層板小体（ファーター・パチニ小体）
皮下組織にみられる大きな楕円形（長さ2～4mm, 幅1～2mm）で，神経終末の周囲を鞘細胞がちょうどタマネギのように層状に取りまいている．圧覚を司る．

(2) 触覚小体（マイスナー小体）
真皮の神経乳頭にあり，神経終末の周囲に鞘細胞が層板状構造を呈し，触覚を司る．

(3) 触覚細胞（メルケル小体）
表皮の胚芽層に存在する．細胞の中に感覚神経線維の終末として触覚円板があり，触覚を司る．

(4) クラウゼ小体
真皮にみられる．神経線維は糸球状を呈し，その周囲は結合組織性被膜で包まれる．触覚を司る．

(5) ルフィニ小体
太い神経線維が樹状に分岐し，結合組織性被膜で包まれた神経終末である．関節包などに多くみられ，膠原線維の伸展を感受すると考えられている．

(6) 陰部神経小体
触覚小体の変型で，外陰部，陰茎，陰核にみられる．

(7) 自由神経終末
皮膚に分布する感覚神経の末端で，痛覚と温覚を司る．

2．毛

毛は表皮の変化したもので，多量の色素顆粒を含む．皮膚の保護，体温調節，触覚などの働きがある．毛には皮膚の表面から出ている**毛幹**（その先端は毛尖），皮膚に埋もれている**毛根**，下端の膨らんだ部分の毛球がある．毛球は表皮と真皮の陥入したものによって包まれ（**毛包**），中に真皮の一部，**毛乳頭**が入っている．毛には**立毛筋（平滑筋）**が付着し，これが収縮すると毛の表皮に対する角度が変わる．また，**毛包腺（脂腺）**が毛根の頸部に開口している．

3．爪

表皮の角質層が変化したものである．爪の下面は爪床といい，指の長軸と平行に縦に走る畦状の乳頭（爪

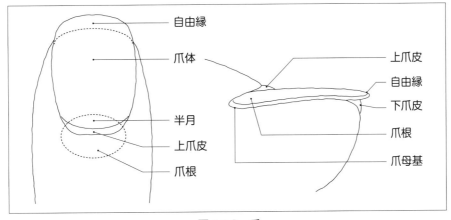

図118 爪

床稜）を形成している．特に，爪床の基部は爪が伸びていくところ（爪胚芽層）であり，表面から白くみえ，爪半月といわれる（**図118**）．

4．皮膚腺
1）汗　腺
　単一管状腺で皮下組織中に糸屑玉様の明るい分泌部と，皮膚表面に開口する分泌導管がある．汗腺はエックリン腺とアポクリン腺の2種類があり，**エックリン汗腺（小汗腺）** は全身に広く分布する．**アポクリン汗腺（大汗腺）** は腋窩，外耳道，乳輪，肛門周囲，眼瞼，鼻翼などの限られたところにあり，多くは毛包に開く（p.120参照）．

2）脂　腺
　毛に皮脂を分泌しているが，多くは毛包腺である．しかし，毛がなくても脂腺が単独で存在する場合があり，これを独立脂腺という．部位として口唇，乳輪，肛門，亀頭，陰唇，鼻前庭などが該当する．脂腺の分泌形式は全分泌（ホロクリン分泌）である．

5．乳　房
　乳腺（**図119**）は乳汁を分泌する．1個の乳房の中に15〜20個の乳腺葉があり，これはアポクリン汗腺の変化したものである．乳腺はアポクリン汗腺が発達したものと考えられている．

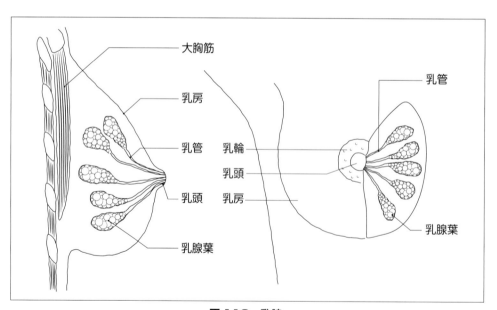

図119　乳腺

第2部

組織学

I. 基礎知識

細胞を最小単位として生物の体は構成されている．ヒトの体は約60兆の細胞でつくられている．細胞が2つ以上集まった細胞集団を組織という．組織を知るには以下の細胞について知ることが必要である．

1．細胞の大きさ

細胞の大きさは一定しないが，ヒトの組織をつくっている細胞は直径20μm（マイクロメータ）前後が多い．ヒトの卵細胞は直径200μm，神経細胞は長さ1mにも及ぶ．

2．細胞の形

球形，立方状，円柱状，扁平状，星状などがある．

3．細胞の運動

だいたい4様式にまとめられる．細胞内の原形質自体が常に流動している原形質運動，白血球のように細胞質の一部がのびて偽足を出して移動するアメーバ様運動，細胞がもつ線毛による運動，筋細胞の収縮・弛緩による運動がある．

4．細胞の物質代謝

細胞は取り込み，合成，貯蔵，分泌などによって物質代謝を行う．細胞体内に物質の取り込み現象と，細菌，死滅細胞など大型のものを取り込む，食べ込み現象（食作用）がある．

II. 細　胞

1．細胞の構造

一般に，細胞は細胞質と核からなる（**図1，2**）．細胞の核以外の部分を細胞質とよぶ．細胞質と核とを形成している物質が原形質である．細胞体に取り込まれた物質（脂肪滴や細菌など）は含めない．

1）細胞質

（1）ゴルジ装置（複合体）

電子顕微鏡によると，ゴルジ装置は膜に包まれた大小の集合体で，層板と小胞で構成される．本装置の機能は，腺細胞の分泌物形成，糖タンパクの結合，精子の頭帽形成，脂肪の吸収などである．

（2）糸粒体（ミトコンドリア）

細胞質内に散在し，2枚の限界膜に包まれ，内方へ櫛状のヒダ（糸粒体のクリステ）が出ている．糸粒体はタンパク質とリン脂質からなり，核酸（DNA，RNA）を有し分裂時に増殖する．その機能は，細胞の呼吸とエネルギー（ATP：アデノシン三リン酸）の産出で，細胞の生命にとって重要である．

（3）中心体

神経細胞には認められないが，他の細胞には存在する．中心体は核に接近し，またゴルジ装置内に存在することが多い．中心体は中心小体が2つ直交するようにある．中心小体は微小管が集まって円柱形をし

ている．細胞分裂のときに細胞の両極に移動し，染色体を引き寄せる中心となる．

(4) 小胞体

小胞体には粗面小胞体（rER）と滑面小胞体（sER）がある．rERには表面にリボソームが付着しており，強好塩基性細胞（例：膵細胞・神経細胞），つまりタンパク合成が旺盛な細胞によく発達する．sERはリボソームが付着していないもので，脂質，ステロイドホルモン，グリコーゲンなどを合成する細胞（例：

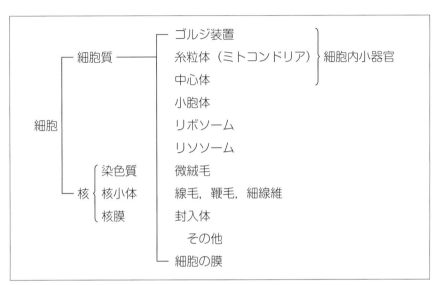

図1 細胞の構成

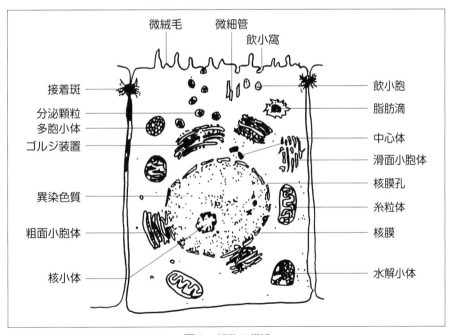

図2 細胞の構造

精巣の間細胞・肝細胞）によく発達する．

（5）リボソーム

粗面小胞体表面に付着する付着リボソーム，または細胞質内に散在する顆粒状の遊離リボソームがある．細胞に特有なタンパク合成に関与する．

（6）リソソーム

微小顆粒で電子密度が高く，加水分解酵素が豊富なので水解小体ともよばれる．その機能は細胞内に取り込まれた異物や胞体内の不要物質を消化分解するといわれる．

（7）微絨毛

腸の吸収上皮細胞（単層円柱上皮）や尿細管の上皮細胞などの自由面にある微細な細長い細胞質の突起（約 $0.2\mu m \times 1.0\mu m$）である．光顕レベルでは小皮とか刷子縁とよばれている．微絨毛の機能は細胞の表面積を拡大して，物質の吸収を最大にしている．

（8）線毛，鞭毛，細線維〔細胞骨格：微小管，中間径フィラメント，マイクロ(アクチン)フィラメント〕

多数ある運動毛を線毛といい，1本だけのものを鞭毛という（例：精子）．表皮細胞体内には張細線維，筋細胞体内には筋細糸（ミオフィラメント），神経細胞体内には神経細線維がある．細糸（フィラメント）が束ねられたものは細線維（フィブリラ）とよばれる．これらは細胞の形を保持し，運動に役立っている．

（9）封入体

細胞質の代謝産物，細胞体外からとり入れた物質，顆粒，色素，脂肪滴など，細胞の生活とは能動的には関与しない小体の総称である．

（10）細胞膜

細胞を囲んでいる薄い膜が細胞膜である．この厚さは約 7.5nm で，電子顕微鏡により観察ができる．細胞膜は糖質，脂質，タンパク質からなる．脂質は二重層をなし，細胞膜の土台をなしている．脂質の表面は親水性で，内部は疎水性である．さらに，この層の中にはタンパク質粒子があり，細胞膜を移動する．脂質とタンパク質粒子からは糖質が鎖状に伸びている．この糖質により，細胞の表面の特性が決定される．また，細胞同士の認識が行われる．細胞は細胞膜を通じて細胞内に物質を取り込んだり，内部の物質を排除したりする．

2）核

核はタンパク合成や遺伝など細胞の高度な機能の中枢である．核の数は通常1個で，形は通常球状であるが，細胞の形に一致するものも多く，また多核（例：破骨細胞）や多形核（例：白血球の分葉核）などがある．ヒトの赤血球には核がない．

（1）染色質（染色体）

核の成分を核質といい，その大部分が染色質である．染色質は塩基好性である．核酸には，**デオキシリボ核酸（DNA）**と**リボ核酸（RNA）**の2種類がある．DNAは塩基，糖（デオキシリボース），リン酸の化合物が結合したものを最小単位として，鎖のように繋っている．通常は染色質は形が明らかではないが，細胞分裂の時期になると棒状のはっきりした形を現す．この棒状のものを染色体とよんでいる．

（2）核小体

核内には1～数個ある．核小体は細胞内のタンパク質合成に役割を果たすといわれ，活動の盛んな細胞によく発達している．

（3）核膜

染色質を包む核の外周膜で，核膜孔が多数ある．この孔は核内部と細胞質内の物質の交通路で，しかも

選択性がある.

2．細胞分裂

　細胞の増殖は細胞分裂による．分裂様式には無糸分裂と**有糸分裂**(**図3**)がある．高等動物では有糸分裂による．分裂の周期つまり**細胞周期**は，細胞分裂の時期(M期)と分裂していない間期とを繰り返すことである．間期は，さらに第1間期(分裂直後で細胞が成長する時期：G1期)，合成期(染色体, DNAの複製がされている時期：S期)，第2間期(細胞内小器官と細胞質成分を作製する時期：G2期)とに分けられる．

3．遺伝子と遺伝子発現

　人体を構成する重要な物質はタンパク質である．タンパク質はアミノ酸がたくさん結合してできている．このアミノ酸の配列を決めているのが遺伝子である．通常，細胞には核があり，核の中に核酸がある．核酸には，デオキシリボ核酸(DNA)とリボ核酸(RNA)とがある．遺伝子はDNAが本体で，アミノ酸の配列の遺伝情報を決めるのが遺伝子である．

　DNAは二重らせん構造を示し，ヌクレオチドが構成単位となって鎖状につながっている．ヌクレオチドはリン酸・糖・塩基からなる．塩基には，アデニン(A)，グアニン(G)，シトシン(C)，チミン(T)があり，RNAではTの代わりにウラシル(U)が使われる．塩基は「A」と「T(あるいはU)」，「G」と「C」が厳密なペアを組むため，ヌクレオチドの塩基部分がペアを組んで二重らせんになる．塩基の並び方を塩基配列といい，塩基配列の違いが遺伝情報である．塩基・3つの並び方で1つのアミノ酸が決め

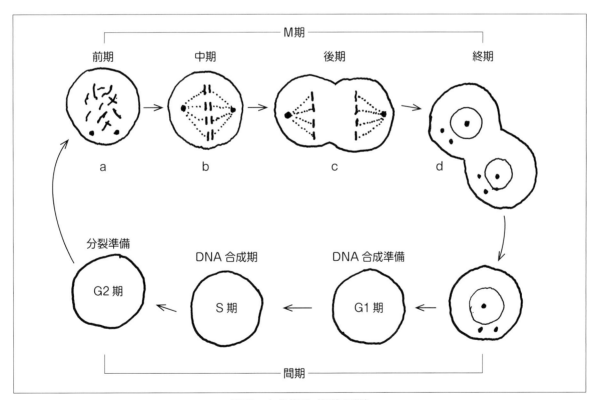

図3　有糸分裂（細胞周期）
a：染色体が形成される．b：染色体が中央に並ぶ．c：染色体が両端へ移動する．d：核膜と核小体が出現し，2つの細胞になる．

られており，複数のアミノ酸が結合することでタンパク質になる．二重らせんのDNAがほどけて一本鎖となり，一本鎖のDNAに対する鋳型のDNAがつくられることをDNAの複製という．一本鎖のDNAを鋳型にしてRNAがつくられることを転写といい，逆にRNAからDNAがつくられることを逆転写という．DNAからmRNAに転写され，mRNAの遺伝情報に沿って，tRNAが運搬するアミノ酸を連結していくことでタンパク質が合成される．このように塩基配列（DNAあるいはRNA）からアミノ酸配列（タンパク質）への情報の変換を翻訳という．

RNAはヌクレオチドが構成単位となって鎖状につながっており，核内と細胞質とに存在し，数種類が知られている．

mRNA（messenger RNA，伝令RNA）：DNAの限られた部分だけを鋳型にしたRNA．

tRNA（transfer RNA，運搬RNA，転移RNA）：アミノ酸と結合しているRNA．このアミノ酸をリボソームに運び，mRNAの情報どおりにアミノ酸を連結することでタンパク質がつくられる．

つまり，アミノ酸の配列を決めているのが遺伝子で，遺伝情報でもある．遺伝子発現とはDNAが持っている遺伝情報に基づいてタンパク質（あるいはRNA）がつくられることである．

Ⅲ．四大組織

細胞が分裂増殖を繰り返して細胞集団となり，同じ種類の構造と同じ機能を有するものがそれぞれ集団となる．これを組織という．形態と機能からみて，①上皮組織，②支持組織，③筋組織，④神経組織の四大組織に大別される．

四大組織は，3胚葉のどれかを由来として分化したものである．それぞれの組織は，単純に細胞が集合したものではない．つまり細胞と細胞間に物質が一定の秩序のもとに配列集合している．組織を構成する細胞と細胞間質の割合によって組織の特性が決定される．

1．上皮組織

特　徴

細胞成分が細胞間質に比べて圧倒的に多く，細胞同士がピッタリとくっついた状態が上皮組織である．上皮組織には血管と神経は分布しない．

機　能

①新陳代謝の仲介

外界からの吸収（消化器），外界への排泄（汗腺，脂腺），体温の調節などが主要な機能である．

②保温

ちょうど衣服の役目，変形したものは毛，爪などである．

③感覚

感覚受容器をそなえて，これに反応する（皮膚，味覚など）．

④分泌

上皮組織のうち，特に分泌機能を有する細胞で構成されたものを腺上皮（腺）といい，それぞれ特有の物質を分泌する．

⑤生殖

　胚（芽）上皮ともいい，生殖細胞を産生する．

分類

[形態による分類：表面上皮]

細胞の形状と層数は，場所によって異なる．また上皮細胞層の直下には基底膜が存在する．それぞれの特徴と代表的な存在場所を述べる（**表1**，**図4**）．

1）単層

①単層扁平上皮

高さのない扁平な細胞が，ちょうどタイルのように一層に並んでいる上皮−体腔の中皮（漿膜上皮），血管内皮など．

②単層立方上皮

横，縦，高さがほぼ等しい細胞が，一層に並んでいる上皮−尿細管，角膜内皮（透明），甲状腺の濾胞上皮など．

③単層円柱上皮

円柱状の細胞が一層に並んでいる上皮で，どの細胞の核も細胞基底面近くに，しかも同じ高さにある．胃と腸の上皮にみられ，体の中の各種上皮のうち伸展面積は最大である．この細胞の線毛が活発に一定の方向に運動を有する場合は，単層円柱線毛上皮という．子宮，卵管，細気管支の上皮などがある．

2）重層

①重層扁平上皮（口腔粘膜でみられることから，歯科では重要な項目である）

全体が扁平細胞の積み重なりではない．口腔粘膜では図4でみられるように，表面の細胞ほど扁平で（表在層），深くなるにつれて高さが増し（中間層），最深部では円柱状になる（基底層）．つまり深層は，最表層の細胞が剥がれていくための補充層で，胚芽層ともいわれる（**表2**）．一般に外襲力が及

表1　表面上皮の分類

1．単層	a．扁平上皮 b．立方上皮 c．円柱上皮	
2．重層	a．扁平上皮 b．立方上皮 c．円柱上皮	
3．偽重層上皮（多列線毛上皮）		
4．移行上皮		

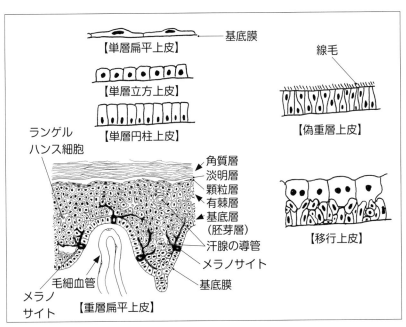

図4　表面上皮の形状と層の数による分類

ぶ場所：皮膚の表皮，口腔から食道までと直腸肛門部，腟上皮，角膜上皮（透明）などである．

重層扁平上皮といっても，手掌や足底と口腔粘膜とでは全く性質を異にする．さらに口腔粘膜は非角化重層扁平上皮であるが，口唇，舌，歯肉，口蓋などではそれぞれ性状を異にしている．

②重層立方上皮

ほとんど実例がない．

③重層円柱上皮

多くはないが，軟口蓋の一部や結膜円蓋にみられる．

3）偽重層上皮（多列線毛上皮）

細胞は単層円柱上皮のように配列するが，細胞のあるものは表面まで達する高さがあり，またあるものは基底膜に接して低く，また中間の高さの細胞などがある．"偽重層（多列）"の意味は，核の高さがそろわず2～3層にみえることである．この上皮には，線毛を有するものが多く，その場合は"多列線毛上皮"という．主に鼻腔や気管支などの気道にみられる．

4）移行上皮

表在層の細胞は大型で，その下に立方体の細胞が積層（中間層，基底層）する．膀胱や尿管の上皮にみられ，尿が充満すると細胞は扁平となり，下の細胞層も薄くなる．つまり機能に応じて形や厚さが移行する．

[機能による分類]

①表面（被蓋）上皮：表皮，呼吸器の上皮など

②腺（分泌）上皮：外・内分泌腺の上皮

③吸収上皮：腸絨毛の上皮など

④呼吸上皮：肺胞の上皮

⑤感覚上皮：嗅上皮，網膜など

⑥生殖（胚）上皮：男性──曲精細管の上皮，女性──卵巣上皮

表2　口腔粘膜の一般構成

層の名称	特　徴
表在層	舌乳頭の一部では，表在層の表面に角化という現象が生じる（角化重層扁平上皮）．表層の細胞体内に一種のタンパク，ケラチンが生じて細胞は死滅し，これが重積したものを角質層（または角化層）といい，手掌や足底では特に厚く，赤唇ではごく薄い．また舌乳頭の一部も角化しているが粘膜では白くみえる（舌苔）．一般に角質層はエオジン染色で紅色に染まり，角化現象は保護という意義が大きい
中間層（有棘層）	多角体の細胞が細胞間橋によって繋がっている．間橋は細胞体周縁にはえた短い手のようにみえるのでこの名称がある
基底層（胚芽層）	細胞が新生されるところで，皮膚の表皮ではメラニン顆粒がよくみられる
基底膜	次の結合組織との境で均質にみえる薄い層である
固有層	上皮下に結合組織で構成された層で，上皮内へ棍棒状や稜状に突出しているので乳頭層ともいう．どの場所の重層扁平上皮にも必ず認められ，しかも場所によって乳頭が高く（赤唇），低く（軟口蓋），また稜状に並ぶ（爪床）．しかも乳頭内に神経終末装置や毛細血管ループが侵入している

[発生源による分類]
　①外胚葉性上皮（外胚葉に由来する：皮膚の表皮，一部の腺，水晶体，網膜，平衡聴覚器など）
　②内胚葉性上皮（内胚葉に由来する：消化器と呼吸器の上皮と，これに属する腺）
　③中胚葉性上皮（中胚葉に由来する：尿生殖器の上皮の一部）

[腺（分泌）上皮＝腺]

一般的には表面上皮の細胞が分化して分泌機能を有する腺細胞となる．これが集団になった組織を腺という．

(1) 位置による分類

①上皮内腺——表面上皮の1個の細胞が腺細胞となったもの（単細胞腺）（例；腸上皮の杯細胞）．この細胞の分泌顆粒である粘液顆粒はヘマトキシリン・エオジンどちらにも染まらない．したがって明るくみえる．

②上皮外腺——表面上皮の多数の細胞が分化して腺細胞になると（多細胞腺），下層の結合組織内に侵入して，いろいろな形に配列する．その大きさは顕微鏡レベルのものから肉眼レベルのもの（膵臓，唾液腺）まである．

(2) 分泌物が放出される場所による分類

①**内分泌腺**

　腺細胞がもとの表面上皮との連絡がなくなり，分泌物は表面上皮の表面へ排出されず，もっぱら周囲の血管やリンパ管内へ分泌される．排出路，つまり分泌導管（単に導管）がない．下垂体，膵島（ランゲルハンス），副腎，生殖腺などで，分泌物はホルモンと総称される．

②**外分泌腺**

　腺細胞がもとの表面上皮と分泌導管によって連絡を保っていて，分泌物は導管から外界へ排出される．唾液腺，胃や腸の腺，子宮腺などがある．

　器官としての外分泌腺は以下がある．

　　a．腺小葉——腺体が集合したもので，薄い結合組織性膜に包まれる．

　　b．腺葉——腺小葉が集合したものである．さらに腺葉が集合して1つの器官（例：耳下腺，肝臓）となる．

　　c．（腺）導管——小葉間結合組織→葉間結合組織を通って集合しつつ腺を出る．

(3) 外分泌腺の形態による分類

外分泌腺の基本形態は次の各部からなる（**図5**）．

①**腺体**（終末部）

　腺細胞が一定の形態に集合した部分で，実際に分泌物が産生されるところである．腺細胞が囲む内腔を腺腔という．

②**分泌導管**（排泄管）

　腺体で産生された分泌物を腺腔から表面上皮面，つまり外界へ排泄するパイプである．

(4) 外分泌の性状による分類（**図6，表3**）

この分類は特に唾液腺について用いられる．

(5) 腺細胞の放出機序による分類

腺細胞から分泌物が放出される様相は，次のように分類される．

①全分泌腺（**ホロクリン腺**）

腺細胞全体が分泌物となって，そのまま排出する．細胞は死滅する．脂腺，瞼板腺などが該当する．

②部分分泌腺（メロクリン腺）

 a．離出分泌腺（**アポクリン腺**）

  腺細胞の一部分がはずれて排出する．細胞は回復する．大汗腺，乳腺などが該当する．

 b．漏出分泌腺（**エックリン腺**）

  腺細胞が分泌物だけを排出する，細胞体は失われない．小汗腺，漿液細胞などが該当する．

2．支持組織

支持組織は体とその各部分を支持し，器官と器官，また器官内では組織と組織とを結合，固定する機能を有する．細胞間質が多く，細胞成分は疎である．しかも間質の性状は極めて変化に富み，ゼリー状，多数の線維成分（細胞が産生した）を含有するもの，さらには固体（軟骨，骨），また液体（血液）などである（**図7**）．

支持組織はすべて中胚葉に，詳しくは間葉組織（内，外両胚葉の間に生じたもの）に由来する．中胚葉と間葉組織は一般に突起をもった未分化の星状の細胞で構成され，細胞と細胞の間が広い．このような形態が基本となって，いろいろ変化に富む支持組織に分化する．

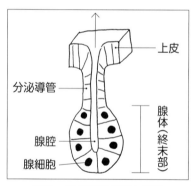

図5 外分泌腺の基本形態

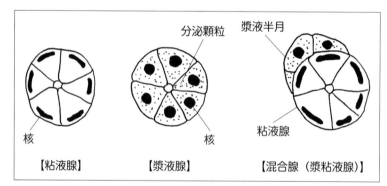

図6 漿液腺，粘液腺，混合腺（漿粘液腺）

表3 唾液腺の漿液細胞と粘液細胞の相違

	核	細胞質	所在例
粘液細胞	細胞の基底近く扁平，ヘマトキシリンに濃染	ヘマトキシリン・エオジンに不染 明るくみえる	後舌腺，口蓋腺
漿液細胞	細胞のほぼ中央，ほぼ球状	分泌果粒は好酸性．暗くみえる	耳下腺，味腺（エブネル腺）

1）結合組織

細胞成分と間質に含まれる線維成分との分量と配列が相違して，硬さや形が変化している．

（1）膠様組織

胎生期の結合組織で，星状の線維芽細胞のヒナ型ともいうべきものと，間質はゼリー状で微細な膠原線維を含む．成人になると消失するが，臍帯やニワトリの鶏冠がこれでできている．

（2）線維性結合組織（**図8**）

間質の線維成分の分量と配列によって分類される．

①**疎線維性結合組織（図9）**

膠原線維がまばらで，しかもその走向は一定していない．線維間は液腔をなしていて，ここに細胞が存在する．皮下組織，粘膜下組織，外膜（血管や神経の周囲膜），腺葉の間などである．重要なことはこの組織が血管，リンパ管，神経の通路となっていることである．

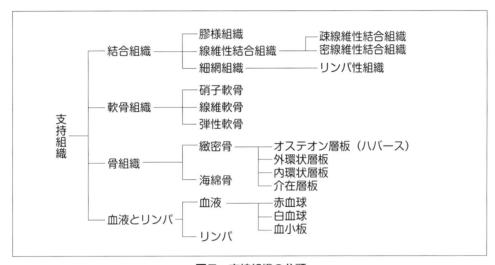

図7 支持組織の分類

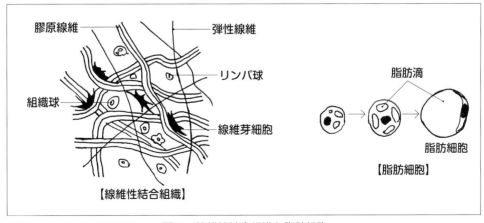

図8 線維性結合組織と脂肪細胞

②密線維性結合組織

主として膠原線維が束状（平行性）やシート（布）状（交織性）になったもの，つまり1つの"形"に形成された結合組織である（**表4**）．したがって細胞成分は少なくなる．

そして，線維性結合組織には**表5**のように，特別の形態を示すものがある．

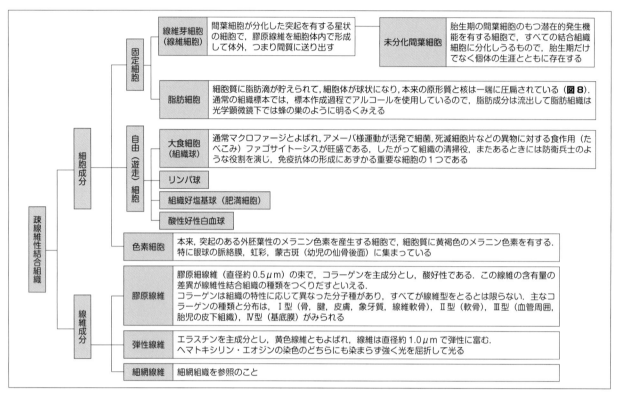

図9　疎線維性結合組織

表4　密線維性結合組織の例

部　位	形　状
靱帯，腱	線維が束状に，特に腱では平行に束ねられている
筋膜，骨膜	シート状に交織したもので丈夫である
真皮，強膜（眼球）	厚くなったシート

表5　特別な形態を示す線維性結合組織

名　称	特　徴
脂肪組織	脂肪細胞が層状や塊状となったもので，女性や乳児の皮下脂肪や頬脂肪体など，エネルギーの貯蔵，保温，クッションの役目を果たしている． 脂肪組織には白色脂肪細胞（単胞性）と褐色脂肪細胞がみられる．前者はエネルギーを蓄積，その燃焼にあずかるが，個体の肥満にも関係し，後者は体熱を産生・放出するラジエーターの役割を演じる
弾性組織	弾性線維を主成分としており，常に弾性を必要とするところ（動脈の壁，項靱帯）

(3) 細網組織

細網細胞と細網線維が立体的に網状に連なっている．細網線維はヘマトキシリン・エオジン染色のどちらにも染まらない．この線維は鍍銀染色（硝酸銀水溶液に浸す）を行うと黒く染まるので，好銀線維ともいうが，膠原線維の亜型と考えられる．この組織は次のような特別の器官に存在し，リンパ球の産生，抗体産生，造血機能など重要な役割を演ずる．

リンパ性組織とは，リンパ小節，リンパ節，扁桃，胸腺のように，細網組織の網目にリンパ球がつまった状態（その他に，脾臓，骨髄などがある）．以下詳細は第9章 脈管系（p.78）を参照．

2）軟骨組織

軟骨はナイフで切ることができる硬さである．軟骨だけで，また骨と組み合わさって骨格を構成する．軟骨細胞は軟骨小腔に入っている．間質は軟骨基質とよばれ，ムコ多糖類（コンドロイチン硫酸）が沈着し，結合組織の線維を含む．軟骨基質には血管はない．しかし軟骨の外周は線維性結合組織でできた軟骨膜に包まれ，軟骨の栄養成長を司る．軟骨の加齢変化が起こると膠原線維が多量に出現し，さらには石灰化して硬くなることがある．

基質の線維の種類や量によって分類される（**図10**，**表6**）．

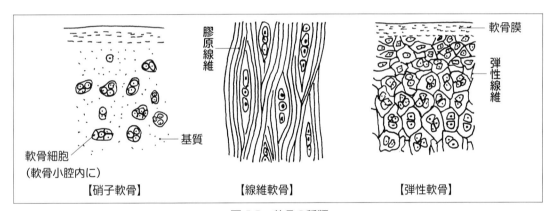

図10 軟骨の種類

表6 軟骨組織の分類

分類	形態	場所
硝子軟骨	軟骨の基本型ともいえる．乳白青色で，基質は半透明，無構造のようにみえるが，微細な膠原線維が含まれている．ヘマトキシリン・エオジン染色では弱塩基好性に染まる．軟骨細胞は1～数個がたがいに密接して軟骨小腔に入っている	最も多く分布する軟骨で，関節軟骨，肋軟骨，気管軟骨など．また胎生期の骨格は硝子軟骨でできているので例外はあるが，これが骨の形のヒナ型といえる
線維軟骨	基質には多数の膠原線維が交織しているので不透明である．ヘマトキシリン・エオジン染色では酸好性に赤く染まる．この軟骨は線維が多いために曲げられやすく，同時に圧迫，牽引に抵抗が強い．軟骨細胞は小型である	椎間円板，恥骨結合，下顎頭軟骨，顎関節の関節円板など
弾性軟骨	基質に多量の弾性線維が含まれる．ヘマトキシリン・エオジン染色では弾性線維は染まらないので，弾性線維染色を必要とする	耳介軟骨，喉頭の喉頭蓋軟骨と披裂軟骨の声帯突起

3）骨組織

骨組織は膠原線維が一定の配列のもとに集合して基礎をつくり，細胞間質（基質）にカルシウム塩を主体とした無機塩類が沈着した硬組織である．人体では歯についで硬い組織である．無機成分は 60〜70%（年齢，個人，部位に差あり）を占め，有機成分は ossein といわれ，煮ると骨膠（ゼラチン）ができる．

骨や歯のような硬組織を顕微鏡下で観察するには，酸により脱灰操作を行って有機成分のみとした脱灰標本と，骨をさらして無機成分のみとし，できる限り薄くすりへらした研磨標本にする．

1個の骨についてみると，その外面は緻密骨（質）と，その内部は海綿骨（質）とからなる．この原則は管状骨や扁平骨と骨の形が異なってもかわらない（p. 8 参照）．そして骨の外面には骨膜が密着し，緻密骨内面には骨内膜があり，海綿骨の髄腔には骨髄が入っている．

骨細胞はやはり間葉組織に由来し，小型であるが多数の長い突起をもち，これによって骨細胞同士が繋がっている．骨細胞体は基質の骨小腔に入り，細胞の突起は骨小管に入っている．なお注目すべきことは，緻密骨の基質はコンクリートを流し込んだように硬くなったものではなく，層板構造をもち，層板の間に骨細胞が配列している．つまり一見して硬い骨は死んでいるようにみえるが，このような構造のもとに生活しつづけ，個体の成長にマッチして骨細胞は増殖し，骨自体が吸収添加（リモデリング）もされる．骨層板とは，膠原線維の走向がほぼ交叉するような層板が何枚も，たがい違いに，ちょうど木の年輪のように重なって形成されたものである（**図11**，**表7**）．基本となる層板の中心には血管を入れる管がある．これを**中心管（ハバース管）**という．これとは別に，中心管と垂直の方向に発達している**貫通（フォルクマン）管**などがある．

（1）骨発生

骨発生には軟骨性骨発生と膜性骨発生の2様式がある．

①軟骨性骨発生（**図12**）

まず軟骨ができて，その内部が破壊され同時にその軟骨外面に骨細胞が発生する．体幹骨，上肢と下肢の骨，頭蓋骨の頭蓋底の骨などがこの方式で形成される．

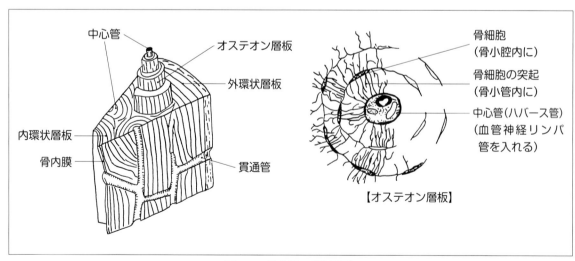

図11　緻密質の微細構造

a．軟骨内骨発生：骨の長さを増す

軟骨がそのまま骨に変化するのではなく，軟骨が吸収されて骨と入れかわり，こうしてできた骨を軟骨性骨（置換骨）という．**図13**で，長骨を例にとってその機序を略述する．

b．軟骨外骨発生：骨の太さを増す

軟骨膜内層の骨芽細胞の内面に骨組織がつくられる．そして，血管や神経は中心管の内容物となり，その周囲に骨層板が形成される．

②膜性骨発生

結合組織から直ちに骨細胞が形成される様式で，頭蓋骨の大部分（頭蓋底を除く）がこれによって形成される．骨化中心に血管が侵入し，同時に骨芽細胞が分化し，基質は石灰化して骨芽細胞は突起で繋がれたまま骨細胞となる，この現象は骨化中心を軸としてほぼ放射線状にひろがる．このようにしてできた骨を膜性骨，または骨で囲まれた内部の構造物（たとえば脳）を覆うので付加骨ともいう．

表7　骨組織・骨膜の構造

緻密骨	オステオン層板	血管を入れる中心管の周りに，骨質の層板が木の年輪のように同心円状に取り巻いて円柱状をなしている．この円柱の1本を骨単位（オステオン）とよぶ
	外環状層板	骨の表面と平行な層板でその外面に骨膜がある
	内環状層板	緻密骨の内面，海綿骨に面する平行な層板で，この内側に骨内膜がある
	介在層板	オステオン層板の間を満たすものであるが，本来はオステオン層板の断片で，骨の改造の結果できたものである
海綿骨		海綿骨には層板形成はなく，その骨材を骨小柱とよび，力学的に張力の方向に一致してつくられている
骨膜		骨膜は緻密骨表面と密着する丈夫なシート状の密線維性結合組織である．2層からなり，外層は線維に富み，筋の腱や他の構造物と結合する．この結合は骨表面に直角に走る貫通線維（シャーピー）が骨膜を介してちょうど"かすがい（鎹）"のように橋渡ししている．内層は骨形成層ともよばれ，血管に富み，骨組織を形成する骨芽組織からなる．骨内部にできた腫瘍の摘出手術などでは丁寧に骨膜を剥がし，またもとの位置に戻して縫合する．これは骨膜が骨の再生修復に重要な役割を演じるためである

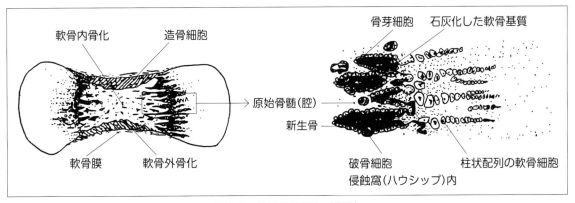

図12　軟骨性骨発生（指骨）

4）血液とリンパ

血液とリンパはいずれも間葉細胞から分化する．細胞間質が液体で血漿やリンパ漿といわれる．細胞成分は血液細胞であるが浮遊流動するので血球という．細胞間質にある線維成分は，平常時は線維ではなくて，フィブリノーゲン（線維素原）として血漿やリンパ漿に含まれていて血液凝固の際に析出するものである．

（1）血液（図14）

量は4.5ℓ（体重の約1/13），比重1.055〜1.066，pH7.3，水分80％，固形成分20％，色調は動脈血は鮮紅色，静脈血は暗紅色である．

①血球検査

臨床検査の1つとしてしばしば用いられるのは，スライドグラスに薄く一層均等に血液をひろげたもの（塗抹標本）をメチルアルコール固定後，ギムザ染色を行う．これによって血球数を算出し，細胞内構造を酸好性，中性好性，塩基好性に染め分けて白血球を分類する（図15）．

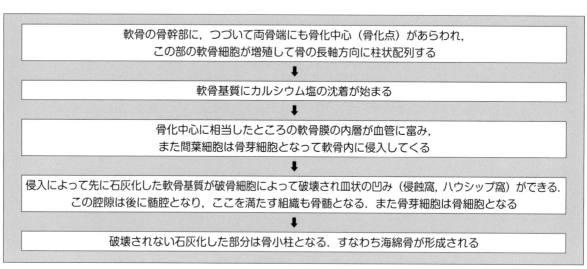

図13　軟骨内骨発生の流れ

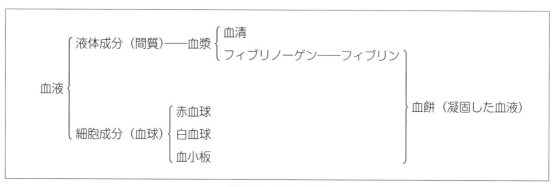

図14　血液の構成

②赤血球

形は中央が凹んだ円板状で、直径 7.5μm、厚さ 2μm で、やや緑をおびた黄色である。数は 1mm³ に男 500 万～550 万、女 450 万～500 万である。核はなく、ヘモグロビンを含み、これが酸好性に染色される。

骨髄の造血組織でつくられた赤血球は、はじめ有核赤血球であるが、脱核して無核となったものが正常な赤血球である。赤血球の寿命は約 4 カ月（120 日）といわれている。赤血球は脾臓で破壊されて鉄イオンを遊離しビリルビンとなり、肝臓に送られて胆汁の原料となる。

③白血球

血液内では球状であるが、血管外にでたものは遊走細胞となって偽足を出してアメーバ様運動を行っている。数は成人で 1mm³ 中に 3,500～9,500 である。新陳代謝が盛んなとき、運動後や食後に増加し、また急性炎症状態では著明に増加する。大きさは直径 4～20μm、顆粒の有無と性状によって分類される（図 16）。

顆粒性白血球の核はくびれて多形核である。顆粒は好中球以外のものは粗大である。リンパ球は小型であるが核が大きく、単球の核のくびれは小さく、組織中では大食細胞として食作用が活発である。

④血小板

血小板は大きさ約 3μm で、1mm³ 中に約 30 万といわれ、星状や紡錘状である。骨髄の巨核球の細胞質がちぎれたものであるから核もない。ギムザ染色では弱塩基好性に染まる。血小板は血液凝固機序に主要な役割を演じる。

(2) リンパ

リンパは細胞間隙（結合組織の線維の間隙など）にある液体、組織液に由来し、無色透明あるいは白色がかった液体で、細胞成分とリンパ漿からなる。リンパは次第にリンパ流をつくり毛細リンパ管→リンパ管、また途中、リンパ節をへて最後には静脈血へ還流される（p.79 参照）。細胞成分はリンパ球でこれに脂肪滴が加わる。このうち腸管からのリンパは多量の脂肪滴を含むので白濁することから、これを乳ビという。

(3) 血球の発生

造血つまり血球の形成は胎生 2 カ月頃から骨髄に始まり、個体が死に至るまで引き続く。またリンパ球はリンパ性組織（リンパ節、扁桃、胸腺、脾臓の一部など）において形成される。

血球の発生過程は非常に難しく、近年に至るもいまだ諸説固まらないようである（図 17）。

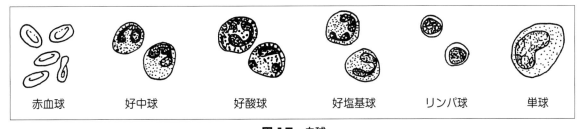

図 15　血球

3．筋組織

筋細胞は刺激に応じて細胞質が収縮するように分化した特殊な細胞で，その収縮性は一定方向に限られており，体や器官の能動的運動を司る．筋組織は筋細胞の配列が密に一定方向に配列し，血管神経に富む．収縮の主体である筋細胞は細長くなる．したがって筋細胞を筋線維とよぶ．結合組織線維や，神経線維などの"線維"とも本質的に異なる．ヘマトキシリン・エオジン染色では酸好性に染まる．

筋細胞に共通した構造は，細胞質内には筋細糸からなる筋細線維と，その間を満たす細胞質＝筋形質からできており，細胞の周辺は膜性構造の筋鞘で包まれている．

筋細胞は，筋細線維と筋形質の形態，つまり横紋の有無や収縮が個体の意志によるか否かで分類される（**図18**）．機能上からは，①平滑筋，②心筋，③骨格筋の3つに区分される（**図19**）．

1）平滑筋

血管，消化管，腺，膵臓などにある．

2）心　筋

横紋筋で心臓壁の心筋層を構成する．収縮は，実に胎生第2週から心拍動としてリズミカルな収縮をつづけ，個体が死に至るまで停止しない．

刺激伝導系――特殊な心筋線維で，より太く，筋形質に富み，筋細線維が少なく，介在板（光輝線）が不明瞭である．

3）骨格筋（**図20，21**）

横紋筋で，線維は最も太く，明確な横紋（図20）を認める．収縮はすばやく，力は強大である．骨格

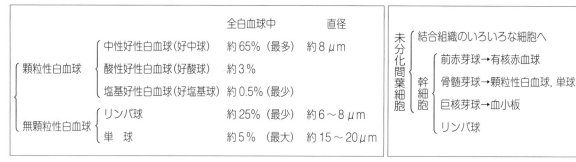

図16 白血球の分類　　　　　　　　**図17** 骨髄の造血組織

図18 筋の分類

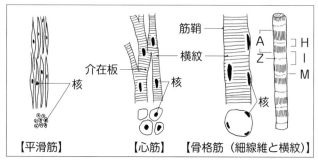

図19 筋の種類

筋は個体の意志により収縮させることができる．

4）筋と神経

（1）筋＝M

筋線維を直接包む結合組織→筋内膜，それを数十本束ねたもの→筋束

これを包む結合組織→筋周膜，さらにこれを束ねる結合組織→筋上膜＝筋膜

（2）神経終末

①筋紡錘・腱紡錘

　特殊な筋線維または腱線維を包む紡錘状のふくろで，固有・深部感覚神経と運動神経が分布する．

②運動神経筋終末

　1本の筋線維に1本の運動神経線維が結合する部分で，蔦の吸盤の形をしている．

4．神経組織

特　徴

　神経組織とは，体に外界または体内からの刺激が加わり興奮が生じたとき，これを伝導する能力をもつまでに分化した組織である．

　神経組織は2種類の細胞で構成される．

①神経細胞（ニューロン）──刺激に対して反応し，興奮として伝導する作用を有する．

②**神経膠（グリア）細胞**──非神経組織ともいわれ，神経作用はなく，神経細胞の支持と栄養を司る．

発生由来

　神経細胞も神経膠も，外胚葉からできた神経管に由来する．

分　類

［神経系の形態学的分類］

①中枢神経系──神経系の中枢で，脳と脊髄からなる．刺激を受け取る受容器（例；皮膚，眼球網膜，内耳など）からの興奮を判断し，これに対する適切な命令を効果器（筋と腺）に発するセンターである．

②末梢神経系──脳に連結する脳神経と脊髄に連結する脊髄神経（両者を合わせて脳脊髄神経という）からなり，脳脊髄にある各種の中枢と，受容器と効果器とを繋ぐ刺激の伝達路である．

横紋 { A帯＝複屈折性＝暗（A帯中央の明るい部分はH帯，その中央はM線）
　　　 I帯＝単屈折性＝明
　　　 Z線＝単屈折性＝暗（Z線←→Z線間を筋節という．）

図20　横紋

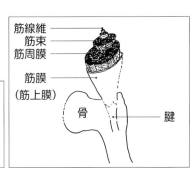

図21　1つの骨格筋の構成

1）神経細胞（ニューロン）

神経細胞（図22）は神経細胞体と2種の突起からなり，刺激によって興奮し，興奮を突起を通じて他の場所へ伝達する機能をもっている．

2）神経細胞の連結

神経細胞体を狭義の神経細胞，突起を神経線維とよび，両者を合わせてニューロン（神経単位，神経元）とよぶ．これが神経系の構成と機能となる．ニューロンが他のニューロンと連結すところを**シナプス**（神経接合）という．シナプスで大きな複雑な連鎖が形成される．

3）神経細胞の染色性

ヘマトキシリン・エオジン染色ではただ核と，突起を含まない細胞の輪郭だけが染まる．これでは突起を含めた神経細胞全体の特徴ある姿はみられない．したがって特殊な染色法，基本的には硝酸銀水溶液によって選択的に細胞と突起が鍍銀（メッキ）される．

4）細胞体の構造

①細胞体——小型（数μm）もあるが，一般には大型（50μm～200μm）である．形は球状，紡錘状，星状と多様にわたる．しかし，星状を一般的形態としてよい．

②核——大型で，染色質が微細なためヘマトキシリン・エオジン染色では淡染し，核小体は明瞭にみえる．

③色素好質（ニッスル物質）——神経細胞に特有なもので，塩基好性で細胞の栄養や代謝に関係がある．
神経細線維——これも特有なもので，鍍銀染色でみると，核の周囲に細かい網目構造として認められ，さらに突起の中まで伸び，末端で細枝に分かれて他の細胞とシナプスして終わる．細線維の束として，軸索が細胞体から出る部分を起始節という．

5）神経細胞の分類

突起の形態による分類（図23）

①無極神経細胞——突起がなく，発生初期の神経芽細胞，神経系が完成するともはや存在しない．

②単極神経細胞——神経突起1本だけが出ている細胞．嗅細胞，網膜の杆（状）体および錐（状）体視細胞など．

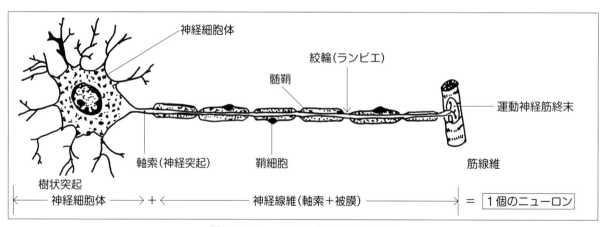

図22 ニューロン（神経元）の全景

③双極神経細胞——軸索と樹状突起が1本ずつ細胞体から，それぞれ反対方向へでる．内耳のラセン神経節や前庭神経節の細胞，網膜の双極細胞など．

④**偽単極神経細胞**——樹状突起がなく1本の軸索が中枢側と末梢側とに2分している．感覚神経節（三叉神経節や脊髄神経節など）の細胞．

⑤**多極神経細胞**——3本以上の突起をもつ細胞で，1本が軸索で，残り全部は樹状突起である．大多数の神経細胞はこれに属する．中枢神経系の細胞，自律神経節の細胞など．

6）神経線維

神経細胞体から出ている軸索と被膜（鞘）とを合わせて神経線維（**図24**）とよぶ．

通常，被膜は鞘状または層状で2種あるといえる．

①神経線維鞘（**シュワン**）：軸索の外周をピッチリ包む鞘で，鞘細胞が管状となり上下に連なってつくられる．この細胞には当然核があり末梢神経系における神経膠である．中枢神経系の線維には鞘細胞はないが，他の神経膠細胞が同じ働きを果たしている．

②髄鞘（**ミエリン**）：ミエリンというリン脂質を主成分とし，生鮮標本では白くて光を強く屈折する髄

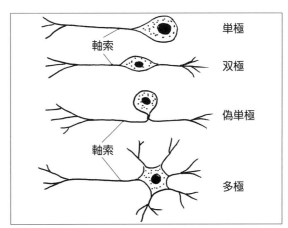

図23 突起の形態による神経細胞の分類

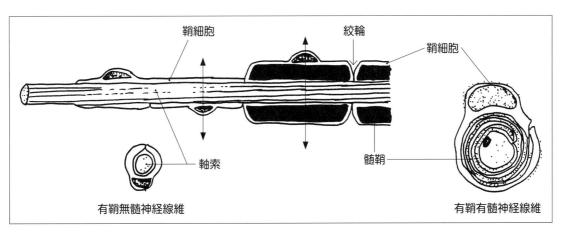

図24 神経線維の構造

鞘は，当初，鞘細胞の一端が延長して軸索を芯として内方へ幾重にもまきこみ，軸索を同心円状に包んで形成されたものである．この鞘には，鞘細胞の長さに相当したくびれ，絞輪（ランビエ）がある．

7）神経線維の分類

神経線維鞘と髄鞘の2種を被鞘の有無によって分類する．

①有鞘有髄神経線維

鞘細胞と髄鞘と両方が被った神経線維，脳脊髄神経の大部分．

②無鞘有髄神経線維

髄鞘だけが被っている神経線維で，白色線維ともいう．中枢神経の白質にあるもの．

③有鞘無髄神経線維

鞘細胞だけが被った神経線維で，灰白線維ともいう．自律神経線維の大部分．

④無鞘無髄神経線維

両鞘とも被っていない神経線維，中枢神経系の灰白質にあるもの．

8）末梢神経の構成

末梢神経の束は次のようにして結合組織で包まれている．

①神経線維を束ねるもの→神経内膜

②さらにこれを束ねるもの→神経周膜

③最も外層を包むもの→神経上膜

9）神経線維の終末

(1) 感覚（求心性）神経終末

①自由神経終末──無鞘無髄の軸索が上皮細胞内に分枝して終わる（口腔粘膜，気管，肛門，腺，毛など）

②触覚神経終末──触覚細胞に軸索が接触して終わる（毛根鞘や味蕾の味細胞など）．

③被包神経小体──軸索が分化して特殊な終末装置をつくる．層板小体（ファーター・パチニ），触覚円板（メルケル）（手掌，足底，外陰部など），触覚小体（マイスナー）（皮膚，指の掌側など）．

(2) 筋紡錘・腱紡錘──骨格筋内や腱内にある終末で，筋の収縮状態を感知（深部感覚）して関連の筋や関節の運動を調節する．

(3) 運動（遠心性）神経筋終末

骨格筋に分布する体性運動神経線維の末端が分枝して吸盤状となり筋線維に終わる．

(4) 自律神経終末

微細な網状を呈する．

10）神経膠（グリア）細胞

数は神経細胞の10倍もあり，体積は脳の半分を占める．

神経膠細胞には全く興奮伝達作用はなく，神経細胞と線維の支持，栄養，代謝の役割を果たしている．

(1) 中枢神経系の膠組織

①上衣細胞

②脈絡叢上皮細胞

上衣細胞の特殊な細胞で，脳室の脈絡叢にあり，脳脊髄液を分泌する．

③固有神経膠細胞　星状膠細胞（アストロサイト）

　　脳の表面や血管の周囲を覆い，神経組織と外部とのバリア（グリア境界膜）をつくる．
④希突起膠細胞（オリゴデンドロサイト）

　　ほとんど突起なし．細胞体に神経膠細糸がみられない．
⑤小膠細胞（ミクログリア）

(2) 末梢神経系の膠組織

①鞘細胞（シュワン）

　　末梢神経線維を包む．
②神経節膠細胞（外套細胞）

　　感覚性神経節細胞の外周を囲む．

IV．標本と観察

1．標本の作製

1）組織標本作製と観察

　光学顕微鏡（光顕）か，電子顕微鏡（電顕）を用いて細胞，組織を観察する標本を組織標本（一般にプレパラート）という．観察目的によって，古くからいろいろな方法が考え出されてきた．ここでは，主に光学顕微鏡の標本作成について記述する．

2）生鮮組織の観察

　組織培養のときなど生きている状態の細胞組織を光学顕微鏡で観察する場合，時間的制約をうける．またコントラストがつきがたく微細な構造は検索できない．そのためには透明な組織のもつ屈折率の差異を明瞭にして，コントラストがつくように工夫された位相差顕微鏡が用いられる．

3）観察する組織標本の採取

(1) 生体検索

患者の組織の病理診断のために迅速に検索する方法をいう．

(2) 死体検索

一般に光学顕微鏡レベルで細胞組織を観察するため，材料を死直後の死体から採取する．

4）観察する組織標本の作成

　細胞組織を採取後，以下の順で標本作製を進める．

①固　定

　　細胞組織の生活現象を停止させる操作である．10％ホルマリン水溶液がよく用いられる．その他に，エチルアルコール，重金属塩などを固定液として用いる．

②脱水・硬化

　　組織に含まれている水分を除き，一定の硬さにそろえ，包埋する．エチルアルコールを低い濃度から，順次，濃度を高くして，100％まで通していき，水分を完全に除く．

③包　埋

　　薄く切ったとき，組織が崩れないように埋め込み，薄切しやすくする．包埋に使われる材料はパラフィン（ろうそくに使われている）である．

④薄　切

　　ミクロトームとよばれる装置で切る．5μmから20μm位の厚さで切れる．

⑤染　色

　　いろいろな色素を用いて切片を染めるのであるが，組織学での染色は，色素の性質によって細胞や組織の構造を染め分ける操作である．次に代表的な基本となる染色法をあげる．

ヘマトキシリン・エオジン（H-E）重染色〔カラーグラフ①〜⑰〕

　この染色法は，組織を観察する上でのごく一般的な染色法であるばかりでなく，細胞組織の一般構造を知見するための基本染色法である．しかも，目的とする組織の構造を一層詳細に知るための特殊染色を行う前提となる重要な染色法である．

　a．ヘマトキシリン――青紫色に染め上がり，一般に細胞の核と細胞質の一部が染色される．このように染色される構造物を塩基好性（好塩基性）という．

　b．エオジン――赤紅色に染め上がり，赤血球，ミトコンドリア，分泌顆粒，筋細線維，膠原線維（淡紅色）などが染まる．このように染色される構造物を酸好性（好酸性）という．

2．標本の観察

光学顕微鏡で観察する（**図25**）．

3．光学顕微鏡のしくみ

　可視光線を利用して倍率を高める装置を光学顕微鏡という．約2,000倍に拡大することができる．この装置のしくみをp.XV下段に示す．

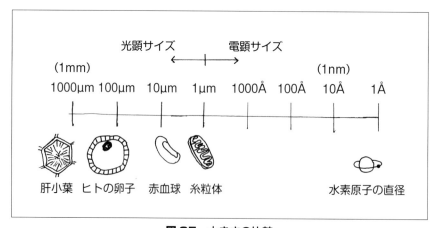

図25　大きさの比較

第3部

発生学

I. 基礎知識

　ヒト生命の発生は，精子と卵子が結合した受精卵（接合子）が卵管内にできることにより始まる．接合子はひとつの細胞である．この細胞が分裂を繰り返しつづける．やがて，分裂した細胞の塊が形成される．この塊が胚子である．そして胚子がヒトの形となった胎児になる．胎児は出生すると新生児となる．このような過程を**発生**という．発生を理解することが，体の構造を理解し，疑問を解く鍵となる（**表1**）．

II. ヒト生命の誕生

　精子と卵子によって生命が誕生する．男性の精子と女性の卵子を生殖子といい，両子が結合すると受精卵となる．受精卵は接合子あるいは原胚子ともいう．

1．生殖細胞

　精子あるいは卵子になるために分化した細胞が生殖細胞である．この細胞は，将来，精巣あるいは卵巣になる生殖腺にある．男性では，思春期に精祖細胞から一次精母細胞，二次精母細胞を経て精子が形成されるが，女性では，出生前に卵祖細胞が一次卵母細胞になり，思春期に一次卵母細胞が二次卵母細胞を経て卵子が形成される．

2．精子形成

　思春期から精巣の精細管内で精子が形成される（**図1**）．

3．卵子形成

　思春期から卵巣で卵子が形成される（**図2**）．
　卵祖細胞は，いったん多数の卵母細胞に分裂するが，幼児期に大部分が消失して思春期ではわずかの卵母細胞となる．

4．排　卵

　二次卵母細胞は成熟すると，卵細胞を取り巻く卵胞上皮が多層化し，卵細胞との間に卵胞液を貯えて大型化し成熟（グラーフ）卵胞となり卵巣の腹膜上皮が盛り上がる．その表面が破れ，卵子が卵巣から卵管へ排出される．これが**排卵**である（**図4**参照）．

5．受　精

　排出された卵子は卵管腹腔口から卵管内に入る．一方，精子は膣腔→子宮腔→卵管腔に達しており，受精は通常，卵管膨大部で行われる．
　この卵子と精子が合すると受精卵となり，これを受精という．受精によって，性別が決定する（**図3**）．受精から性別の決定までの過程で，さまざまな染色体異常が生じることがある．生殖細胞形成途中で多いものは，染色体不分離による常染色体異常（通常より1個多い：ダウン症候群）が，ついで性染色体異常

（組み合わせの異常：ターナー症候群）がみられる．

表1　ヒト発生から成人になるまでの区分

	出生前から出生まで	
1	原胚子（受精卵）期	受　精～第1週
2	胚子（芽）期	第2週～第8週
3	胎児期	第3月～第10月
	出生後から	
4	新生（産）児期	出　生～第4週（第1月）
5	乳児期	第1月～第1年
6	幼児期	第1年～第6年
7	学童期	第6年～第12年
8	思春期	第二次性徴～第20年

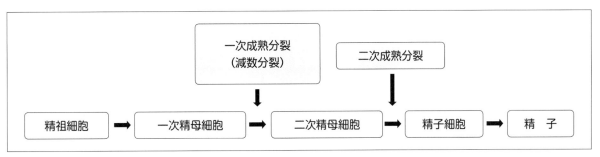

図1　精子形成

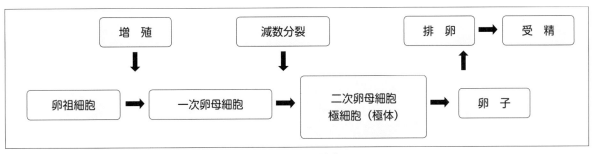

図2　卵子形成

図3　性別の決定（数値：常染色体，X・Y：性染色体）

6. 卵割

受精卵（接合子，原胚子）は卵子と精子の結合によって1つの細胞となる．染色体が複製され，細胞分裂を繰り返す．この過程を卵割という（**図4**）．

卵割をした受精卵は胞胚となる．胞胚は子宮に達して子宮に着床する．このような過程を次のように分ける．

1）割球期
卵割によって生じた細胞塊で，卵割を繰り返しつつ卵管内を子宮へ下降する．

2）桑実胚期
3～4日経過して，16～32個の細胞塊となる．

3）胞胚期
桑実胚は内外二層の細胞塊と内部に空所をもつ球状の胚となる．これを胞胚あるいは胚盤胞ともいう．胞胚の空所を胞胚腔とよぶ．

外側の細胞塊を栄養膜，内層の細胞塊を内細胞塊といい，内細胞塊は将来胎児となるので胚（あるいは胚子）ともよぶ．内細胞塊の細胞は，あらゆる組織・器官になることのできる分化能（多分化能）を有する万能細胞で，胚性幹細胞（Embryonic Stem cell [ES細胞]）とよばれる．これに対し，成熟した体細胞をもとに遺伝子を追加・導入して，人工的につくりだされた万能細胞をiPS細胞（induced Pluripotent Stem cell）という．

7. 着床

胞胚の栄養膜が，酵素によって子宮粘膜を溶解し，胞胚が子宮粘膜に埋没する．この現象が着床であり，受精から約1週目である（**図4**）．

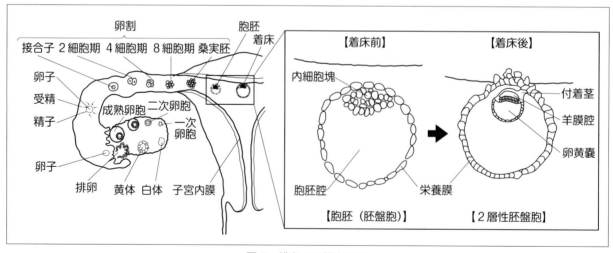

図4 排卵から着床まで

ヒトの着床は子宮体の後から前壁においてみられるが，ときに内子宮口付近や子宮外にも起こることがあり，この場合を子宮外妊娠という．

III. 胚子の初期発生

ヒト胚子発生（受精後）の進行に伴う形態変化の過程を3期に分けて述べる．

1. 原胚子期（受精後〜第1週）

受精後に卵管内で卵割して胞胚となり，胞胚になるための形態変化をしている時期である．

着床後は，原胚子ではなく胚子となるが，胚子の栄養源は，出生まで栄養膜によって形成された胎盤によって確保される．胞胚の内細胞塊は2種類の細胞群に分かれて，それぞれが嚢をつくる．栄養膜に接している嚢を羊膜といい，もう1つの嚢を卵黄嚢という．2つの嚢はそれぞれ胚盤に接しており，胚盤は上下2層に分かれ，それぞれ層の細胞は高さが高い細胞が1列に並んで，2層になっている．

2. 胚子期（胎芽期）（胎生第2週〜第8週）

1）胎生第2週〜第3週

着床した胚子（胞胚）の発生が進み，これを包む胎膜がつくられる．胎膜は絨毛膜（栄養供給と老廃物の処理）と羊膜で，絨毛膜は周囲の母体子宮脱落膜中へ絨毛を伸長し，そのうち基底方向への成長が大きくなり子宮の基底脱落膜と結合して胎盤を形成する．

(1) 2層性胚盤胞（図4）

胎生2週ごろの胚盤で，羊膜側の細胞を胚盤葉上層といい，卵黄嚢側の細胞を胚盤葉下層という．これが2層性胚盤胞である．

(2) 3層性胚盤

胎生第3週には，内・外両胚葉の間に中胚葉が形成され，3層性の胚葉となる．これが3層性胚盤である．内・中・外胚葉をもつ3胚葉の胚盤となるまでの経過を原腸胚形成ともよぶ．それによって頭尾方向へ原始線条という隆起が生ずる．線条の正中一致して内胚葉の正中線上に管状の脊索が形成される．脊索が形成されると，ついで神経管の誘導が起こる．また，ここで重要なことは，3胚葉から分化し器官が形成されることである．

(3) 3胚葉から分化する器官

外，中，内3胚葉それぞれの細胞塊は分化して，いわゆる四大組織となり，それが結合・組み合わさって器官を形成する．

次に，3胚葉それぞれから派生（由来）する主な器官をあげる．

①**内胚葉**から分化する組織器官

  a．甲状腺

  b．消化管（口腔と直腸下部以外）と呼吸器の上皮，舌下腺，顎下腺

  c．膀胱，尿道粘膜

  d．耳管，鼓室上皮

②**中胚葉**から分化する組織器官

  a．結合組織，軟骨，骨

b．心臓, 動脈, 静脈, リンパ管, 造血器官
　　c．筋組織
　　d．尿細管, 尿管上皮
　　e．副腎皮質
　　f．卵巣, 精巣
　　g．胸膜, 腹膜, 心膜

③**外胚葉**から分化する組織器官
　　a．表皮と毛, 爪, 汗腺, 脂腺, 乳腺, 耳下腺など
　　b．中枢と末梢神経系, 網膜
　　c．副腎髄質
　　d．下垂体の大部分
　　e．口腔と直腸下部の粘膜上皮と腺
　　f．歯のエナメル質, 象牙質, セメント質
　　g．鼻腔, 副鼻腔の粘膜上皮と腺
　　h．水晶体と内眼筋
　　i．内耳

(4) 神経堤と神経管の発生・形成（図5, 6）

　神経管は外胚葉から形成される. 外胚葉の正中に沿って両側で肥厚部ができ, この肥厚部から神経ヒダが形成される. このヒダの両上端が引っ付いて神経管が形成される. 神経管から脳と脊髄の中枢神経系が

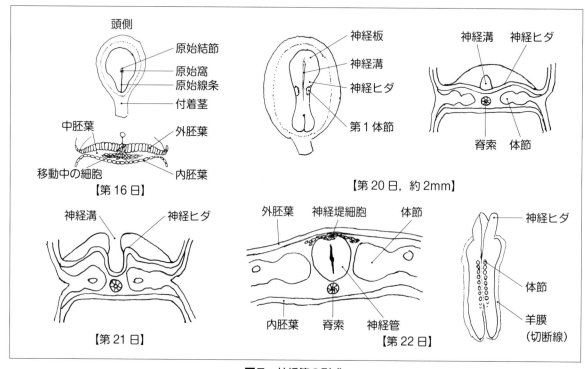

図5 神経管の形成

形成される．神経管が形成される前の神経ヒダの一端を神経堤といい，神経管になる前に神経堤の細胞が遊離してそれぞれ各所へ移動をする．この細胞を神経堤細胞という．神経堤細胞からは各所と脳脊髄を結ぶ末梢神経系が形成される．

(5) 鰓　弓（胎生第4週～第5週）

神経管の形成のあと胚子は前方部（頭部）が膨らみを増し，前屈をする（**図7**）．

胎生25日ごろ，頭部の腹外側面に後から正中方向へ中胚葉の塊が発生して隆起する．これを鰓弓（鰓は，"エラ"の意味）といい，胎生28日ごろには全部で6対ある．第五鰓弓は消失する．鰓弓は頭頸部の骨，皮膚，脂肪，筋の多くを派生するものである．特に第一鰓弓，第二鰓弓，第三鰓弓の3対は顔面，口腔，鼻腔，咽頭の発生に極めて重要である．

これらについては，次項で詳しく述べる．

3．胎児期（胎児の出生までの成長）

胎生3カ月以後の胎生期では，組織器官の新たな分化はすでに完了し，体の発育が続く．

胎児は，成長によって身長と体重が著しく増加する（**表2**）．胎生3カ月ごろは，頭部は身長（頭殿頂）の半分ぐらいである．出生時には頭部は身長のほぼ1/4となる．胎生3カ月ごろの顔面はヒトらしくなっており，性別も判定ができるようになっている（**図8**）．妊娠期間は最終月経の開始から280日（10カ月）間かかると考えられている．

Ⅳ．顔面・口蓋・舌の発生

1．顔面の発生

顔面は胎生第4週ごろに前頭鼻隆起と第一鰓弓から形成され，左右の第一鰓弓と前頭鼻隆起の間に口窩が形成される．口窩の奥には口咽頭膜があり，原腸の前を閉鎖しており，この膜が破れて口と咽頭がつながる．**前頭鼻隆起**は左右に鼻板ができ，鼻板を取り囲むように，**内側鼻隆起**と**外側鼻隆起**を形成する〔カラーグラフ21〕．第一鰓弓は**上顎隆起**と**下顎隆起**を形成する．左右の内側鼻隆起は，互いに癒合して球状

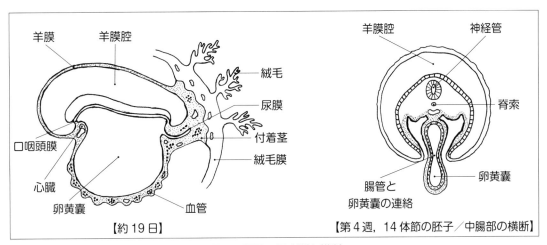

図6　胚子の正中断と横断

隆起になる．球状隆起は，左右の上顎隆起と癒合して上唇を形成する．外側鼻隆起は鼻翼と外鼻部を形成する．上顎隆起は下顎隆起と癒合する．上顎隆起は内側鼻隆起と癒合する．下顎隆起は正中で癒合する．したがって，上顎隆起は上顎と上唇（人中部を除く）を形成し，下顎隆起は下顎と下唇を形成する．

2．口蓋の発生

一次口蓋と二次口蓋の形成により，口蓋が形成される〔カラーグラフ㉑〕．

1）一次口蓋

球状隆起は口窩（口腔内）で一次口蓋を形成する．一次口蓋は上顎切歯部の口蓋を形成する．

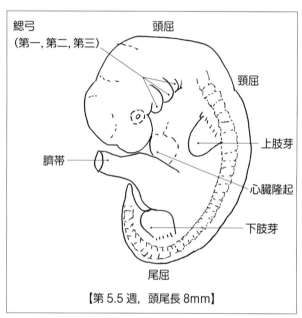

図7 体の形成

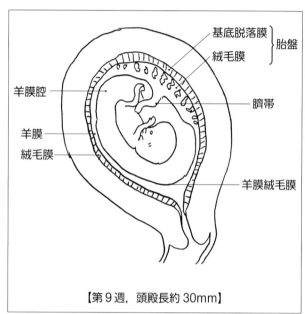

図8 胎膜と胎盤

表2 胎児の月齢別体長と体重

胎生月数	胎児身長（cm）	胎児体重（g）
2	$2^2 = 4$	$2^3 \times 2 = 16$
3	$3^2 = 9$	$3^3 \times 2 = 54$
4	$4^2 = 16$	$4^3 \times 2 = 128$
5	$5^2 = 25$	$5^3 \times 2 = 250$
6	$6 \times 5 = 30$	$6^3 \times 3 = 648$
7	$7 \times 5 = 35$	$7^3 \times 3 = 1,027$
8	$8 \times 5 = 40$	$8^3 \times 3 = 1,536$
9	$9 \times 5 = 45$	$9^3 \times 3 = 2,187$
10	$10 \times 5 = 50$	$10^3 \times 3 = 3,000$

2）二次口蓋

左右上顎隆起の口腔側（内側面）から口蓋突起が生じて，やがて左右の口蓋突起が癒合する．また正中で上方から下降してくる鼻中隔とも癒合する．口蓋突起が形成されたときは下内方に向いており，また舌は口蓋突起よりも上方に位置している．しかし，胎生第6週ごろに口蓋突起よりも舌が下方になる．胎生第10週ごろ，口蓋突起は前方で一次口蓋と，後方で左右の上顎突起同士とも正中で癒合する．一次口蓋と二次口蓋によって硬口蓋と軟口蓋が形成される．

3．舌の発生

舌の発生には第一・第二・第三・第四鰓弓がかかわる．胎生第4週ごろ，第一鰓弓に一対の外側舌隆起と無対舌結節が形成される．第二鰓弓にコプラ（結合節）が形成されるが，これはやがて消失する．第三・第四鰓弓に鰓下隆起が生じ，第四鰓弓の一部は舌根部の形成に加わる．胎生7週ごろになると外側舌隆起，無対舌結節および鰓下隆起が発育して舌が形成される．第一鰓弓から舌前方部2/3が，第三鰓弓と第四鰓弓から舌後方部1/3が形成される．

4．唾液腺の発生

大唾液腺は胎生期の口腔粘膜上皮から発生する．

1）耳下腺

胎生第4週頃に発生が始まる．口角部あたりに間葉へ陥入ができ，上皮は増殖して，外耳の付近に到達する．そして耳下腺部と耳下腺管が形成される．この腺は外胚葉由来である．

2）顎下腺

生第6週頃に発生が始まる．口腔底（歯槽舌溝）の上皮が間葉に陥入し，上皮は増殖し，顎下部に到達する．そして顎下腺部と顎下腺管が形成される．この腺は内胚葉由来である．

3）舌下腺

胎生第8週頃に発生が始まる．顎下腺発生のすぐ後方の口腔底の上皮が間葉に陥入し，上皮は増殖し，顎下腺管の付近に到達する．そして舌下腺部と舌下腺管が形成される．この腺は内胚葉由来である．

5．顎関節の発生

顎関節の構成要素である下顎頭，下顎窩，関節円板の発生を述べる．

1）下顎頭

胎生第8週ごろ，発生途上の下顎骨（メッケル軟骨）背側端に間葉細胞の集合体が現れ，胎生第10週ごろに下顎頭軟骨となる．これが下顎頭の原基である．下顎頭軟骨から骨が形成される．

2）下顎窩

胎生第9週ごろ，側頭骨の下顎窩を形成する原基が出現するが，胎生5カ月初期に下顎窩を形成するが認められる．下顎窩は下顎頭より後で形成される．

3）関節円板

胎生第8週ごろ，下顎頭と下顎窩の間に間葉細胞の集合体から発生する．胎生第12週から胎生第14週にかけて，上関節腔と下関節腔が形成される．関節円板は，前頭断あるいは矢状断とも均等な厚さであるが，下顎頭の成長によって厚さが異なってくる．

索引

あ

アドレナリン	63
アポクリン腺	110, 120

い

胃	44
移行上皮	118
インスリン	64
咽頭	42

う

ウェルニッケ野	89
右房室弁	68
運動神経	83
運動性言語中枢	88

え

エオジン	134
エックリン腺	110, 120
エストロゲン	64
エブネル腺	39
延髄	84

お

横口蓋ヒダ	37
黄体形成ホルモン	63
黄体ホルモン	64
オキシトシン	64
オステオン	125
オステオン層板	124
オトガイ	17
オトガイ下三角	32
オトガイ下リンパ節	81
オトガイ棘	18
オトガイ結節	17
オトガイ孔	17, 18
オトガイ隆起	17

か

外頸動脈	73
外耳	105
外舌筋	39
外側	4
外側溝	88
外側靱帯	24
外側翼突筋	29
回腸	45
外転神経	96
外胚葉	140
灰白質	83, 93
外皮	107
外分泌腺	119
外膜	34
海綿骨	8
下顎窩	13, 24
下顎角	18
下顎頸	18
下顎孔	18
下顎後静脈	77
下顎骨	17
下顎枝	18
下顎神経	94
下顎体	17
下顎頭	24
蝸牛管	106
核	114, 130
顎下三角	32
顎下腺	xvii, 41
顎下腺窩	18
顎下リンパ節	79
顎関節	13, 18, 22
顎関節の発生	143
核小体	114
顎静脈	77
顎舌骨筋線	18
顎動脈	74
角膜	102
核膜	114
下行大動脈	70
下肢	3, 6
下垂体	63
下垂体窩	12
割球期	138
滑車神経	94
滑膜性連結	9
下鼻甲介	14
カルシトニン	63
眼窩	19
眼窩下管	16
眼窩下孔	15, 16
眼窩下溝	16
感覚器系	101

感覚神経	83	胸神経	100	口蓋垂	38
含気骨	8	胸腺	81	口蓋突起	14, 16
眼球	102	胸大動脈	70	口蓋の発生	xxiv, 142
眼瞼	103	胸膜	55	口蓋帆	38
桿状体視細胞	103	強膜	102	口蓋扁桃	xix, 42
冠状動脈	69	筋系	25	口蓋縫線	37
冠状縫合	14, 22	筋組織	128	口角結節	28
関節	9	筋膜	26	光学顕微鏡	xvii, 134
汗腺	108			口峡	41
肝臓	47	**く**		咬筋	29
眼動脈	73			咬筋粗面	18
間脳	87	空腸	xx, 45	口腔	34
顔面神経	xxiii, 96	クモ膜	91	口腔前庭	34
顔面頭蓋	6, 14	クラウゼ小体	109	口腔底	39
顔面動脈	73	グリア細胞	129, 132	口腔粘膜	35, 118
顔面の発生	xxiv, 141	グルカゴン	64	硬口蓋	37
				虹彩	103
き		**け**		甲状腺	xxi, 62
				甲状腺刺激ホルモン	
気管	54	毛	109		63
気管支	54	頸動脈三角	32	甲状腺ホルモン	63
起始	25	茎突下顎靱帯	24	口唇	xiv, 36
偽重層上皮	118	血液	126	口底	39
嗅覚中枢	88	血球	127	喉頭	53
臼後三角	17	結合組織	121	後頭骨	11
嗅上皮	52	血小板	127	喉頭軟骨	53
嗅神経	94	結腸	47	喉頭部	42
嗅部	52	結膜	103	喉頭隆起	53
頰	37	犬歯窩	15	口部	42
橋	85			硬膜静脈洞	67, 91
胸郭	6	**こ**		肛門	47
頰筋	28			膠様組織	121
頰骨	17	口蓋	37	抗利尿ホルモン	64
頰骨弓	13	口蓋筋	37	口輪筋	28
頰骨突起	14, 15, 16	口蓋骨	16	呼吸器系	51
胸鎖乳突筋	30	口蓋骨水平板	17	鼓室	105

骨	5
骨格筋	25, 128
骨格系	5
骨口蓋	16
骨髄	8
骨組織	124
骨膜	9
鼓膜	105
固有口腔	35
ゴルジ装置	112
根間中隔	16, 17
混合骨	8

さ

鰓弓	141
細胞	112
細胞体	130
細胞分裂	115
細胞膜	114
細網組織	123
サイロキシン	63
左房室弁	68
三叉神経	xxiii, 94
三半規管	106

し

視覚器	101
視覚性言語中枢	89
視覚中枢	88
耳下腺	xvi, 41
耳下腺乳頭	37
耳管	106
子宮	60
子宮収縮ホルモン	64

糸球体包	57
篩骨	14
篩骨洞	21, 52
支持組織	120
視床	87
視床下部	87
耳小骨	105
矢状	4
矢状縫合	14, 22
視神経	94
視神経管	13
脂腺	108
歯槽	16, 17
歯槽弓	15, 17
歯槽孔	16
歯槽突起	14, 15, 16
歯槽部	17
歯槽隆起	16, 17
死体検索	133
実質性臓器	34
シナプス	130
シャーピー線維	9
縦隔	55
自由神経終末	109
重層扁平上皮	117
十二指腸	44
受精	136
シュワン	131
循環路	66
消化管	34
消化器	34
消化器系	33
上顎結節	15
上顎骨	14, 15
上顎神経	94
上顎洞	14, 21, 52

上顎洞裂孔	16
松果体	64
小口蓋孔	17
上行性神経路	90
上行大動脈	70
上肢	3, 6
硝子体	103
小唾液腺	41
小腸	44
小脳	87
上皮小体	63
上皮組織	116
小胞体	113
漿膜	34
静脈	65
静脈角	76
静脈叢	67
小翼	13
上腕動脈	76
食道	43
鋤骨	14
触覚器	108
自律神経	xxiii, 83, 100
糸粒体	112
心筋	128
神経核	84
神経管	140
神経系	82
神経膠細胞	129, 132
神経細胞	129, 130
神経節	84
神経線維	131, 132
神経線維鞘	131
神経組織	129
神経堤	140
腎小体	57

心尖	67
心臓	67, 71
腎臓	56
靱帯	10
靱帯結合	9
腎単位	57
心膜	69

す

髄質	84
髄鞘	131
水晶体	103
錐状体視細胞	103
膵臓	49, 64
膵島	49
水平板	16
髄膜	91

せ

正円孔	13
精子形成	136
生殖器	58
生殖細胞	136
精巣	58, 64
精巣上体	59
生体検索	133
正中	4
成長ホルモン	63
精嚢	59
性ホルモン	63
脊髄	92
脊髄神経	93, 99
脊柱	6
舌	xv, 38

舌咽神経	xxiii, 98
舌下小丘	38, 41
舌下神経	98
舌下神経管	12
舌下腺	xviii, 41
舌下腺窩	18
舌下ヒダ	39, 42
舌下面	38
舌筋	39, 40
赤血球	127
節後線維	84
節後ニューロン	84
舌骨	18
舌骨下筋	31
舌骨上筋	31
舌根	39
切歯管	16
切歯孔	16
切歯乳頭	37
舌小帯	38
舌正中溝	38
舌尖	38
節前線維	84
節前ニューロン	84
舌体	38
舌動脈	73
舌乳頭	39, 40
舌粘膜	38, 39
舌の発生	143
舌背	38
舌分界溝	38
舌盲孔	38
腺	119
線維性結合組織	121
線維性連結	9
染色質	114

染色体	114
前頭	4
前頭骨	14
前頭洞	14, 52
前頭突起	14
前頭鼻隆起	141
泉門	22
前立腺	59

そ

槽間中隔	16, 17
総頸動脈	71
総合中枢	89
桑実胚期	138
側頭窩	21
側頭下窩	21
側頭筋	29
側頭骨	13
組織標本	133
咀嚼筋	29
咀嚼粘膜	36
ソマトスタチン	64

た

第一鰓弓	141
体幹	3
大口蓋管	16
大口蓋孔	17
体肢	3
大十二指腸乳頭	45
体循環	70
体性運動中枢	88
体性感覚神経	83
体性感覚中枢	88

大唾液腺	41	蝶下顎靱帯	24	特殊感覚神経	83
大腸	45	聴覚性言語中枢	89	特殊粘膜	36
大動脈	65	聴覚中枢	88	トルコ鞍	12
大動脈弓	70	蝶形骨	12		
大動脈弁	68	蝶形骨洞	12, 52		
大脳	88	蝶口蓋孔	16	**な**	
大脳髄質	89	長骨	8	内頸静脈	76
大脳半球	88	直腸	47	内頸動脈	73
大脳皮質	88			内耳	106
大脳辺縁系	88	**つ**		内耳神経	98
大翼	13			内舌筋	39
唾液腺	40	爪	109	内臓感覚神経	83
唾液線の発生	143			内側	4
田原結節	70	**て**		内側翼突筋	30
多列線毛上皮	118			内胚葉	139
短骨	8	停止	25	内分泌腺	62, 119
男性ホルモン	64	釘植	9	内包	90
単層円柱上皮	117	デオキシリボ核酸	114	軟口蓋	37
単層扁平上皮	117	テストステロン	64	軟骨性骨発生	124
単層立方上皮	117	電解質コルチコイド	63	軟骨性連結	9
胆嚢	49			軟骨組織	123
ち		**と**		**に**	
膣	60	頭蓋	6	二腹筋窩	18
緻密骨	8	頭蓋冠	19	乳腺刺激ホルモン	63
着床	138	頭蓋骨	7	乳房	110
中空性臓器	33	頭蓋底	19, 20	乳様突起	13
中耳	105	動眼神経	xxiii, 94	ニューロン	129, 130
中心窩	103	瞳孔	103	尿管	57
中心溝	88	橈骨動脈	76	尿細管	57
中心体	113	糖質コルチコイド	63	尿道	57
中枢神経系	82, 129	頭頂後頭溝	88	人中	36
中脳	85	頭頂骨	14		
中胚葉	139	洞房結節	69		
中鼻道	21, 52	動脈	65		

ね

ネフロン	57

の

脳	xxii, 84
脳室	91
脳神経	94
脳頭蓋	6, 11
能動的運動器官	25
脳梁	88
ノルアドレナリン	63

は

肺	54
肺循環	70
肺動脈弁	68
排卵	136
白質	84, 93
バソプレッシン	64
白血球	127
発生	136
鼻	51
ハバース管	124
パラトルモン	63
バレー三圧痛点	94
伴行静脈	65
反射路	90

ひ

鼻腔	15, 19, 51
鼻骨	14
皮質	83
微絨毛	114
皮静脈	65, 77
ヒス	70
鼻切痕	15
脾臓	81
鼻中隔	15, 51
泌尿器	56
皮膚	108
鼻部	42
表情筋	27, 28
標本	133

ふ

ファーター・パチニ小体	109
フォルクマン管	124
副甲状腺	63
副腎	63
副神経	98
副腎皮質刺激ホルモン	63
腹大動脈	70, 71
副鼻腔	52
腹膜	49
プルキンエ線維	70
ブローカ野	88
プロゲステロン	64
プロラクチン	63

へ

平滑筋	128
平衡・聴覚器	104
ヘマトキシリン	134
ヘマトキシリン・エオジン	134
扁平骨	8

ほ

縫合	9, 22
膀胱	57
房室束	70
房室結節	70
胞胚期	138
ボーマン嚢	57
ホルモン	62
ホロクリン腺	120

ま

マイスナー小体	109
膜性骨発生	125
末梢神経	83, 132
末梢神経系	82, 94, 129

み

ミエリン	131
味覚中枢	88, 89
ミトコンドリア	112
味蕾	xv, 39

め

迷走神経	98
メルケル小体	109

も

毛細血管	65
盲腸	45
網膜	103
毛様体	103
モダイオラス	28
門脈	67

ゆ

有糸分裂	115

よ

翼口蓋窩	21
翼状突起	13
翼突窩	13
翼突下顎ヒダ	37
翼突下顎縫線	43
翼突筋窩	18
翼突筋静脈叢	77
翼突筋粗面	18

ら

ラムダ縫合	14, 22
卵円孔	13
卵割	138
卵管	60
ランゲルハンス島	49, 64
卵子形成	136
卵巣	59, 64
卵巣ホルモン	64
卵胞刺激ホルモン	63
卵胞ホルモン	64

り

梨状口	15
裏装粘膜	36
リソソーム	114
リボ核酸	114
リボソーム	114
リンパ	126
リンパ節	78
リンパ本幹	79
鱗部外側面	13

る

涙器	104
涙骨	14
ルフィニ小体	109

れ

連合野	89
レンズ核	90

ろ

濾胞	63

わ

ワルダイエルの咽頭輪	42

【著者略歴】

諏訪 文彦
- 1973 年　大阪歯科大学　卒業
- 同　年　大阪歯科大学　助手
- 1989 年　大阪歯科大学　講師
- 1995 年　大阪歯科大学　教授
- 2015 年　大阪歯科大学　名誉教授

戸田 伊紀
- 1983 年　大阪歯科大学　卒業
- 1987 年　大阪歯科大学大学院　修了
- 同　年　大阪歯科大学　助手
- 2000 年　大阪歯科大学　講師
- 2017 年　大阪歯科大学　准教授
- 2021 年　大阪歯科大学　専任教授

上村 守
- 2000 年　大阪歯科大学　卒業
- 2002 年　大阪歯科大学　助手
- 2007 年　大阪歯科大学　助教
- 2013 年　大阪歯科大学　講師
- 2019 年　大阪歯科大学　主任教授

学生のための解剖・組織・発生学　第3版

ISBN978-4-263-42310-3

2015年3月5日	第1版第1刷発行
2017年4月1日	第1版第3刷発行
2018年2月25日	第2版第1刷発行
2022年1月20日	第2版第3刷発行
2023年12月10日	第3版第1刷発行

　　著　者　諏　訪　文　彦
　　　　　　上　村　　　守
　　　　　　戸　田　伊　紀
　　発行者　白　石　泰　夫
　　発行所　医歯薬出版株式会社

〒113-8612　東京都文京区本駒込 1-7-10
TEL.(03)5395-7638(編集)・7630(販売)
FAX.(03)5395-7639(編集)・7633(販売)
https://www.ishiyaku.co.jp/
郵便振替番号　00190-5-13816

乱丁・落丁の際はお取り替えいたします　　印刷・第一印刷所／製本・愛千製本所
© Ishiyaku Publishers, Inc., 2015, 2023. Printed in Japan

本書の複製権・翻訳権・翻案権・上映権・譲渡権・貸与権・公衆送信権（送信可能化権を含む）・口述権は，医歯薬出版㈱が保有します．
本書を無断で複製する行為（コピー，スキャン，デジタルデータ化など）は，「私的使用のための複製」などの著作権法上の限られた例外を除き禁じられています．また私的使用に該当する場合であっても，請負業者等の第三者に依頼し上記の行為を行うことは違法となります．

JCOPY ＜出版者著作権管理機構 委託出版物＞
本書をコピーやスキャン等により複製される場合は，そのつど事前に出版者著作権管理機構（電話　03-5244-5088, FAX　03-5244-5089, e-mail:info@jcopy.or.jp）の許諾を得てください．